D1237499

Gouvernement du Québec – Programme de crédit d'impôt
pour l'édition de livres – Gestion Sodec

© Les éditions Les Malins inc.
© L'ABC des filles

info@lesmalins.ca

Éditeur : Marc-André Audet
Conception graphique et montage : Energik Communications

Dépôt légal – Bibliothèque et Archives nationales du Québec, 2011
Dépôt légal – Bibliothèque et Archives Canada, 2011

ISBN : 978-2-89657-131-4

Imprimé en chine

Tous droits réservés. Toute reproduction d'un extrait quelconque
de ce livre par quelque procédé que ce soit est strictement interdite
sans l'autorisation écrite de l'éditeur.

Les éditions Les Malins inc.
1447, rue Wolfe
Montréal (Québec)
H2L 3J5

Guide
de
la nutrition
Catherine Girard-Audet
l'auteure de
L'ABC des filles

éditions
les
malins

4

Table des matières

Introduction

On te demande souvent de bien t'alimenter et de prendre soin de manger des fruits et des légumes. On te dit aussi de bouger, de t'alimenter sainement et d'éviter le plus possible la malbouffe, les boissons gazeuses et les produits contenant beaucoup de sucre. Même si tu essaies de bien enregistrer les recommandations et de manger de façon équilibrée, il se peut que tu aies de la difficulté à t'y retrouver parmi tous les conseils, les régimes et les règles alimentaires qui sont prônés et qui sont parfois contradictoires (par exemple : mange des protéines, mais évite la viande rouge !). Quoi qu'il en soit, la réalité reste la même : le problème de l'obésité au Québec ne cesse de croître. En 2009, 17 % des adultes étaient considérés comme étant obèses, contrairement à 11 % en 1994, et 15 % des jeunes présentaient un surplus de poids (source : Statistiques Canada).

L'objectif de ce petit guide est donc de t'aider à y voir plus clair en ce qui a trait à l'équilibre alimentaire et de te donner l'heure juste sur l'alimentation, les aliments, les mythes alimentaires et les régimes, en plus de te prodiguer des trucs, des astuces et des règles simples à suivre pour te nourrir sainement et être en pleine forme ! De plus, tu y trouveras des tonnes d'informations sur l'estime de soi, les troubles alimentaires, les complexes, les activités sportives et les comportements que tu peux adopter pour mieux t'alimenter et grandir dans un corps en santé.

Population obèse * (%), 18 ans et plus

— Données comparées, 2009

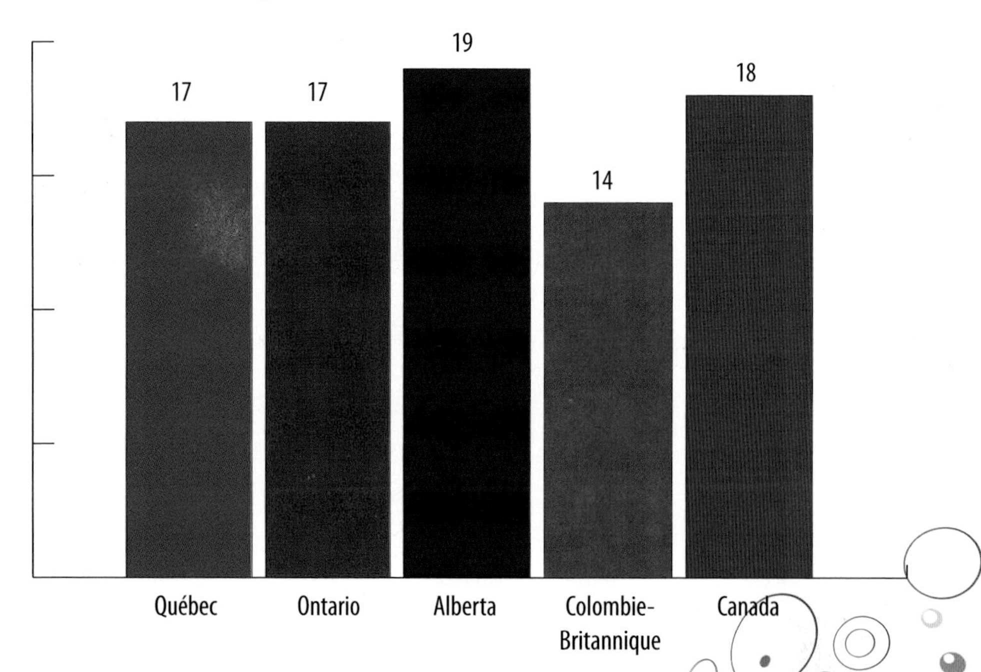

Source : Statistique Canada, ESCC 2009. Compilation de l'ISQ.

Population obèse * (%), 18 ans et plus

— Québec, 1994 à 2009

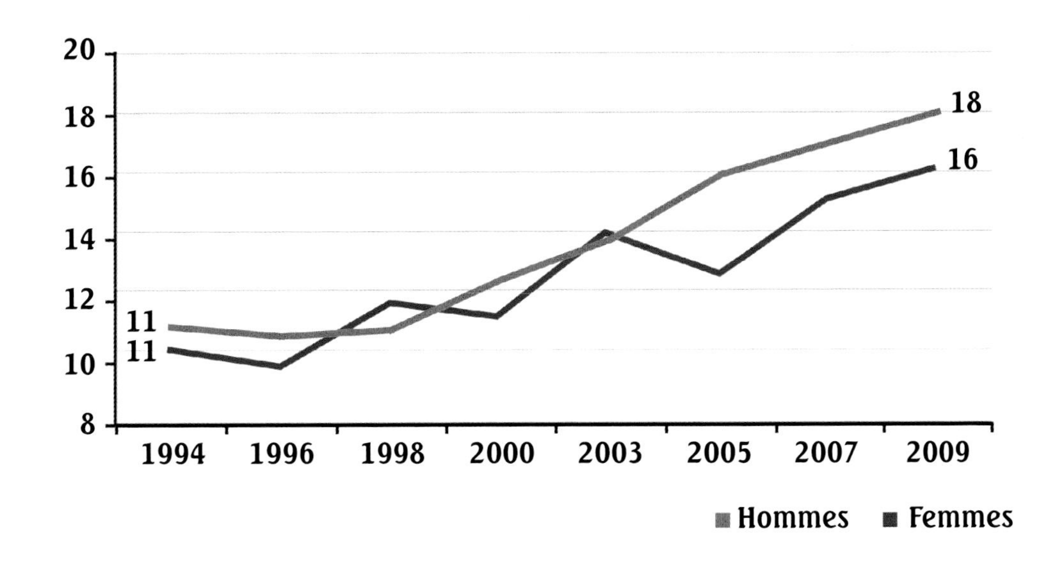

Sources : Statistique Canada, ENSP, 1994-1995, 1996-1997, 1998-1999; ESCC, 2000-2001, 2003, 2005, 2009.

* Données de poids et tailles autodéclarés.

L'obésité correspond à un indice de masse corporelle (IMC) supérieur ou égal à 30.

L'IMC se calcule en divisant le poids (en kilos) par la taille (en mètres) au carré.

Chapitre 1 : Les jeunes et la nutrition

Les jeunes et la nutrition

Tous les jours, tu es confronté à la tentation : tu croises des restaurants de malbouffe à tous les coins de rue, la cafétéria de ton école offre souvent une option de repas douteuse qui te fait tout de même saliver et les machines distributrices sont remplies de collations malsaines. Ceci sans compter que les adolescents sont la cible de plusieurs publicités qui tentent de les convaincre d'acheter tel ou tel aliment facile à consommer qui les « mènera au septième ciel » ! Comme tu as un horaire de fou et que tu cherches parfois la simplicité pour te nourrir entre les repas, ce n'est pas facile de résister à l'appel de la collation fluo bourrée de sucre qui te donnera de l'énergie et fera bondir tes papilles gustatives. Évidemment, les annonces publicitaires ne t'indiquent pas les méfaits possibles de leurs produits ni les dangers qu'ils peuvent avoir à long terme sur ton corps. D'un autre côté, les

filles sont confrontées, dans les magazines entre autres, à des standards de beauté irréalistes qui les poussent vers l'enfer des complexes physiques et des troubles alimentaires. Comment s'y retrouver, être bien dans sa peau et prendre des décisions éclairées pour manger sainement ? Ce que tu dois savoir en premier lieu, c'est qu'au cours de l'adolescence, ton alimentation a des répercussions directes sur ton développement, puisque tu es en période de puberté et en pleine croissance. Une alimentation saine et équilibrée te permettra d'avoir de l'énergie pour accomplir tout ce que tu veux dans une journée en plus d'aider ton corps à se développer normalement. Même si notre mode de vie n'encourage pas toujours l'apprentissage de l'art culinaire et les repas pris à table en famille, il faut tout de même lutter pour ne pas grignoter à tout instant et s'installer avec un bol de croustilles devant l'ordinateur. Il faut non seulement s'intéresser à l'alimentation, mais aussi percevoir la nourriture comme un véritable plaisir et prendre chaque repas dans une ambiance détendue où l'on célèbre le fait de se retrouver en famille ou entre amis et où l'on peut prendre une pause et profiter de chaque bouchée.

Pour t'inciter à ne pas faire table à part et t'installer avec un repas minute devant la télé, efforce-toi par exemple de couper les légumes et de participer à la préparation du repas. C'est une façon toute simple de prendre goût à la cuisine et de te familiariser avec les aliments que tu consommes.

Chapitre 2 : Notions de base

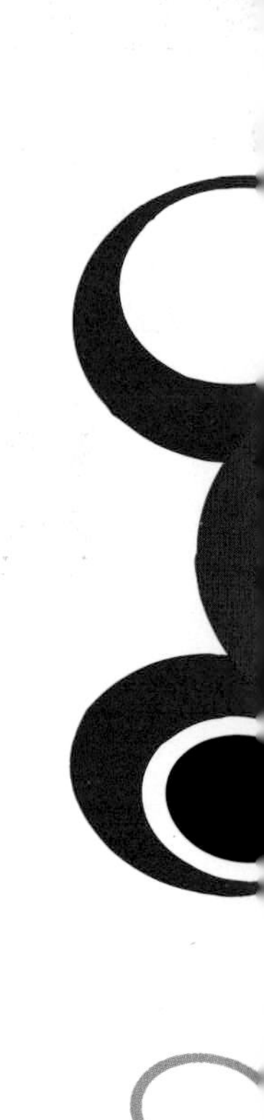

Calories et valeur énergétique des aliments

Quand tu manges, tu procures de l'énergie à ton corps. En effet, chaque aliment que tu mets dans ta bouche contient une quantité de calories, soit des réserves d'énergie dont ton organisme a besoin pour vivre. Ton corps dépense des calories (de l'énergie) lorsque tu utilises tes méninges à l'école, lorsque tu fais du sport avec tes amis et même lorsque tu dors ! L'important, c'est d'absorber assez de calories pour pouvoir être actif toute la journée, mais aussi de contrôler ton apport en énergie pour ne pas que les calories s'entassent dans ton corps sous forme de graisse. C'est ce qui se produit lorsque tu ingères beaucoup plus de calories que tu en dépenses.

Pour t'aider, voici le nombre de calories que tu dépenses en moyenne (pour quelqu'un d'environ 40 kg/90 lb) pour ces types d'activités :

Journée à l'école : environ 400 calories

Activité légère comme de la marche et du ménage : environ 150 calories par heure

Sport plus intense (course, natation) : entre 200 et 500 calories par heure.

Évidemment, tout dépend de ton poids et de tes activités physiques : plus tu bouges, plus tu as besoin d'énergie pour le faire !

Lire et comprendre le tableau des valeurs nutritives

Voici un exemple qui t'aidera à démystifier les secrets des étiquettes de valeurs nutritives des aliments que tu manges. Ce tableau provient d'une boîte de pâtes ali-mentaire, plus précisément des spaghettis!

Sur chaque produit alimentaire vendu au Canada, tu retrouveras une étiquette comme celle-ci. Nous nous attarderons un peu plus loin dans ce guide sur chacun des éléments qui s'y retrouvent (lipides, vitamines, gras, etc.), mais regardons ensemble comment lire et comprendre cette étiquette.

Au début du tableau, on indique ce qui constitue une portion normale. Dans ce cas-ci, il s'agit de 91 grammes de spaghettis, soit environ 1/5 de la boîte, ou encore une petite poignée de spaghettis!

Le tableau t'indique ensuite la quantité (en grammes) des divers éléments que tu vas ingurgiter en mangeant. Par exemple, une portion de spaghettis comprend 2 grammes de lipides.

Nutrition Facts Valeur nutritive Per 1/5 of package (91 g) / pour 1/5 au paquet (91 g)	
Amount **Teneur**	**% Daily Value** **% valeur quotidienne**
Calories / Calories 330	
Fat / Lipides 2 g	**3** %
Saturates / saturés 0.5 g + Trans / trans 0 g	**3** %
Cholesterol / Cholestérol 0 mg	
Sodium / Sodium 2 mg	**1** %
Carbohydrate / Glucides 65 g	**22** %
Fibre / Fibres 9 g	**36** %
Sugars / Sucres 3 g	
Protein / Protéines 13 g	
Vitamin A / Vitamine A	0 %
Vitamin C / Vitamine C	0 %
Calcium / Calcium	2 %
Iron / Fer	50 %

On t'indique ensuite ce que représente cette portion en fonction de ce dont tu as besoin de manger dans toute ta journée. Par exemple, tu retrouves ici 22 % de la quantité de glucides recommandés pour toute ta journée. Il faudra donc t'assurer de trouver dans tes autres repas le 78 % manquant!

Autre exemple: cette portion de spaghettis représente 36% des fibres que tu dois manger dans une journée: il te faudra donc inclure les fibres manquantes dans les autres repas de la journée, en mangeant du pain au blé entier par exemple.

Enfin, tu peux voir le pourcentage de vitamines et de minéraux présents dans cette portion en fonction de ce que tu as besoin dans toute ta journée. Par exemple, tu retrouves ici 50 % de la quantité de fer recommandée pour ta journée, mais tu n'y puises aucune vitamine A, ni vitamine C !

Chapitre 3 : Les quatre groupes alimentaires

26

Les quatre groupes alimentaires

Tu réalises sans doute que ton corps change énormément depuis quelque temps. C'est normal puisque tu es en pleine croissance et que ton corps est en mutation vers l'âge adulte. Même si ce n'est pas toujours facile de comprendre ce qui se passe ou d'accepter les transformations que subit ton corps lors de la puberté, tu dois savoir que ton alimentation a un impact direct sur ta croissance. Au cours de l'adolescence, ton besoin calorique est assez élevé, puisque tu dépenses beaucoup d'énergie et que ton corps travaille sans cesse pour aider ton organisme à croître normalement.

Selon le Guide alimentaire canadien, les jeunes filles ont besoin de consommer environ 2 000 calories par jour pour fonctionner à plein régime. Les besoins énergétiques varient toutefois selon le métabolisme et le niveau d'activité physique de chacune. Par exemple, une fille très sédentaire peut se contenter de 1 700 calories par jour, alors qu'une fille super active aura peut-être besoin de 2 300 calories. Quoi qu'il en soit, il est très important de manger de façon équilibrée et de consommer des aliments issus

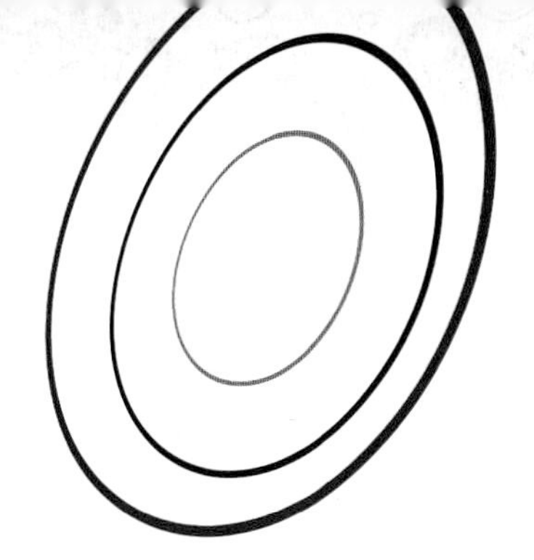

des quatre groupes alimentaires. Toujours selon le Guide alimentaire canadien, une adolescente doit consommer 6 à 7 portions de fruits et légumes par jour, environ 6 portions de produits céréaliers, 3 à 4 portions de lait et substituts et 1 à 2 portions de viandes et substituts. En d'autres mots, les fruits et les légumes doivent représenter environ le tiers de ton alimentation quotidienne, au même titre que les produits céréaliers, tandis que les produits laitiers constitueront environ 15 % et les viandes et substituts 10 à 12 % de ton menu quotidien.

Les jeunes garçons ont quant à eux besoin de consommer environ 2 300 calories par jour pour fonctionner à plein régime. Les besoins énergétiques varient encore une fois selon le métabolisme et le niveau d'activité physique de chaque garçon. Par exemple, un garçon très sédentaire peut se contenter de 2 000 calories par jour, alors qu'un garçon super actif aura parfois besoin de 2 500 calories. Dans le cas des adolescents, le Guide alimentaire canadien suggère qu'ils consomment 6 à 8 portions de fruits et légumes par jour, environ 6 portions de produits céréaliers, 3 à 4 portions de lait et substituts et 1 à 3 portions de viandes et substituts. Encore une fois, les fruits et les légumes jouent un rôle primordial dans leur alimentation quotidienne.

Pour mieux saisir l'importance de chaque groupe alimentaire, il est essentiel que tu connaisses l'utilité des différents aliments et leur fonctionnement dans ton organisme.

Fruits et légumes

Les fruits et les légumes sont riches en fibres et en vitamines, en sucres lents qui te donnent de l'énergie, et en minéraux et en antioxydants qui aident à prévenir le cancer. De plus, ils contiennent beaucoup d'eau et permettent de te rassasier lorsque tu as un petit creux, et ce, même s'ils sont pauvres en calories ! Les fibres que tu consommes accélèrent ton transit intestinal, ou, en d'autres mots, accélèrent le travail de tes intestins pour digérer les aliments et te permettent d'évacuer les déchets aux toilettes sans problème ! Les vitamines contenues dans les fruits et les légumes aident quant à elles à te donner de l'énergie, de la vitalité, à renforcer ton système immunitaire et à fabriquer tes globules. Pense que ton corps est comme une grande machine qui a besoin de tous les nutriments pour fonctionner à plein régime et que les fruits et les légumes jouent un rôle prédominant dans ce fonctionnement; c'est pour cette raison qu'ils occupent la plus grande section de l'arc-en-ciel du Guide alimentaire. Efforce-toi d'en consommer à chaque repas et d'inclure une pomme, une orange ou des crudités dans tes collations. Tu peux dire à tes parents quels sont les

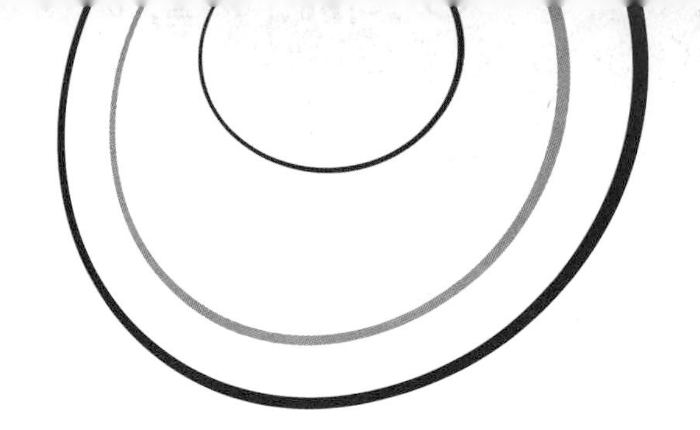

fruits et les légumes que tu préfères pour en consommer davantage, et dis-toi qu'il existe des tonnes de façons d'apprêter tes légumes pour les rendre encore plus appétissants (par exemple, des légumes sautés, à la vapeur ou gratinés avec du fromage ! Miam !).

Produits céréaliers

Les produits céréaliers incluent le pain, les pâtes, les céréales, le riz, le couscous, l'orge, le quinoa, etc. Il est recommandé d'opter pour des produits sous forme de grains entiers contenant une faible teneur en lipides, en sucre et en sel. Les produits céréaliers sont une excellente source de fibres et te permettent ainsi de te sentir rassasié et plein d'énergie, en plus de t'aider à digérer et à évacuer rapidement les déchets qui s'accumulent dans ton estomac.

Lait et substituts

Tu sais sûrement déjà que les produits laitiers sont très riches en calcium, lequel est essentiel pour favoriser la croissance et le développement de tes muscles, de tes os et de ton organisme en général. Ainsi, tu dois chaque jour consommer du lait ou des bois-

sons de soja enrichies et manger du fromage ou du yogourt pour contribuer à la formation de tes dents et de tes os ! Le lait est aussi riche en vitamine D, qui aide à absorber le calcium !

Viandes et substituts

Les protéines contenues dans les viandes, les œufs et les poissons aident à la formation de tes muscles et te permettent d'être bien concentré dans tes tâches ! Les protéines sont très riches en fer, lequel combat la fatigue et la lassitude et permet à tes globules rouges de transporter l'oxygène dont tes cellules ont besoin. Si tu es végétarien, tu dois consommer des substituts tels que des légumineuses ou du tofu pour ingérer assez de protéines afin d'assurer le bon fonctionnement de ton organisme et de t'aider à régénérer tes tissus et tes cellules. Le poisson est également fortement recommandé à cause de son apport en oméga-3, un groupe d'acides gras essentiels pour ton corps qu'il ne peut produire lui-même. Ceux-ci contribuent entre autres à la prévention des maladies et au bon fonctionnement de ton cerveau et de ton cœur.

Chapitre 4 : Les nutriments

Les nutriments

Les aliments que tu manges sont composés de nutriments, ou d'éléments nutritifs, dont tu as besoin pour être en santé et fonctionner à plein régime. Ils permettent aussi à ton corps de croître et de se développer normalement. Les nutriments peuvent être classés en 6 catégories principales : les glucides, les lipides, les vitamines, les sels minéraux, les protéines et l'eau.

Les glucides

Quand on parle de glucides complexes (souvent appelés carbohydrates), on fait référence par exemple aux pâtes, au riz et aux pommes de terre. Ils ont mauvaise réputation, car plusieurs croient qu'ils font grossir inutilement, mais tu dois savoir que les glucides complexes ne contiennent au contraire à peu près pas de matières grasses et qu'il s'agit de l'une des meilleures sources d'énergie qui soient, puisque ton corps les absorbe beaucoup plus rapidement que d'autres types de nutriments. Les glucides simples sont quant à eux présents dans les fruits frais et dans certains légumes comme les carottes. Ceux-ci te fournissent de l'énergie et

contiennent beaucoup de vitamines essentielles à ton corps. De plus, ils te procurent des fibres qui permettent à ton système digestif de fonctionner normalement. Tu dois toutefois faire attention au sucre de table, aux bonbons, aux boissons gazeuses et aux friandises qui contiennent des glucides qui n'ont aucun effet bénéfique sur ton alimentation et qui sont bourrés de calories inutiles.

Les lipides

Il existe trois types de lipides : les graisses saturées, les graisses mono-insaturées et les graisses polyinsaturées. Ce que tu dois savoir, c'est que ton corps a besoin de consommer certaines graisses pour être en pleine forme. Ainsi, tu dois t'assurer de consommer du « bon gras » et de limiter au maximum ton absorption de « mauvais gras » afin d'avoir un cœur en santé et de maintenir un poids santé. Les graisses saturées que l'on retrouve dans le beurre, le jaune d'œuf et les viandes rouges augmentent le niveau de cholestérol (mauvais gras) dans le sang, alors tu dois en consommer avec modération. On retrouve les graisses mono-insaturées (bon gras) dans certains fruits et noix, dans les avocats et dans certaines huiles comme l'huile d'olive ou l'huile de colza. Les graisses polyinsaturées se trouvent quant à elles dans les végétaux, dans la plupart des noix et dans certaines huiles (comme celles de maïs et de soja) et contribuent à faire baisser le taux de mauvais cholestérol lorsqu'elles sont consommées avec modération.

Les protéines

Tu connais certainement les protéines, mais savais-tu que chaque cellule de ton corps en était constituée ? Comme toutes

les réactions chimiques qui se déroulent dans ton corps en dépendent grandement, il est essentiel d'en consommer tous les jours pour contribuer à la formation de nouvelles cellules et à la réparation des tissus en mauvais état. De plus, lorsque ton corps digère les aliments, les protéines sont décomposées en acides aminés. Le corps a besoin de 22 types d'acides aminés pour bien fonctionner et il ne peut s'approvisionner lui-même qu'en 13 d'entre eux; les 9 autres doivent être fournis à ton corps par l'alimentation. Il est donc capital de consommer des aliments riches en protéines tels que du poulet, du veau, du bœuf, des noix, du poisson, des lentilles, du fromage ou du yogourt pour fournir à ton corps tous les acides dont il a besoin pour effectuer son travail et pour te maintenir en pleine forme !

Les vitamines et les sels minéraux

Ces deux types de nutriments ne procurent pas d'énergie à ton corps, puisqu'ils ne contiennent aucune calorie, mais ils sont essentiels à ton organisme, car ils lui permettent de transformer les aliments en énergie et s'assurent de satisfaire les besoins nutritionnels de ton corps.

Les sels minéraux essentiels incluent le sodium, présent dans le fromage, les œufs, le poisson et le lait; le potassium, présent dans les fruits séchés, les viandes et les poissons; le magnésium, présent dans les fruits de mer; le fer, présent dans le foie, les viandes, les fruits de mer et les légumes verts; le phosphore, présent dans le pain, les légumes secs et la plupart des autres aliments.

Il existe 13 sortes de vitamines, les plus connues étant les vitamines A, C, D et E. La vitamine A, que tu retrouves dans les légumes, contribue à la formation normale des os en plus d'aider à la santé des cheveux, de la peau et des yeux. Il existe 8 sortes de vitamines B, lesquelles se trouvent essentiellement dans les produits d'origine animale comme les œufs et le lait et contribuent en gros au bon fonctionnement de ton système nerveux et à la digestion des aliments que tu manges. La vitamine C, que tu retrouves dans les fruits et les légumes, aide quant à elle à affermir tes vaisseaux sanguins, à bien cicatriser lorsque tu te blesses et à avoir un bon système immunitaire pour te protéger des maladies. Le soleil est une bonne source de vitamine D, laquelle aide à absorber le calcium nécessaire à la santé de tes dents et de tes os. La vitamine E contribue à la formation des globules rouges et à l'utilisation adéquate des vitamines A et C par ton corps. Tu en retrouves par exemple dans les graines de tournesol, les graines de sésame, les noix et le soja. Enfin, la vitamine K, que tu retrouves dans les légumes verts, aide à la coagulation du sang et joue un rôle important dans le bon fonctionnement de tes artères et de tes vaisseaux sanguins.

L'eau

Les deux tiers de ton corps sont constitués d'eau. Il est donc essentiel d'en consommer environ 8 verres par jour (1,5 à 2 litres) pour t'assurer que tes organes soient hydratés et que ton corps conserve son équilibre. De plus, l'eau que tu bois t'aide à respirer, à digérer, et contribue à éliminer les toxines de ton corps, à contrôler ta température corporelle et à transporter les nutriments essentiels à ton organisme dans tout ton corps. Ta consommation quotidienne d'eau te permet aussi de maintenir un poids santé, de t'hydrater convenablement et d'avoir un teint santé !

Chapitre 5 : Quelques règles de base pour mieux t'alimenter

Quelques règles de base pour mieux t'alimenter

Ce n'est pas toujours facile de bien s'alimenter. Quand tu as faim et que tu veux calmer un creux, il t'arrive sans doute de te tourner vers l'option la plus facile et la plus accessible, et cette option n'est souvent pas la plus santé. Voici quelques règles simples pour t'aider à mieux connaître les aliments que tu avales et à mieux t'alimenter :

1. Essaie de limiter ta consommation de boissons gazeuses. Plusieurs études démontrent qu'elles ont un lien direct avec l'obésité chez les jeunes. Même les boissons diètes contiennent du sucre et sont malsaines pour la santé.

2. Limite ta consommation de malbouffe (***fast-food***) et d'aliments super caloriques, car ils ne te fournissent que très peu de nutriments sains et essentiels à ta croissance et qu'ils ont tendance à faire grossir inutilement. Je parle ici des croustilles, des pizzas américaines, des confiseries et de plusieurs mets offerts dans les établissements de restauration rapide. C'est parfois difficile d'y résister, mais essaie d'en manger le moins souvent possible.

3. Bois beaucoup d'eau ! Ça hydrate ton corps, ça revitalise et ça te rassasie !

4. Mange plusieurs petits repas complets par jour pour que ton métabolisme ne ralentisse pas, pour faire le plein d'énergie et pour brûler les calories plus rapidement ! Le jeûne ralentit le métabolisme en plus de te rendre irritable et de nuire à ta concentration.

5. Évite de t'empiffrer avant d'aller dormir, car tu ne pourras pas brûler ce surplus d'énergie et la digestion risque de nuire à ton sommeil. Opte plutôt pour une collation légère.

6. Ne saute pas de repas, car ça aura pour effet de ralentir ton métabolisme, de t'affaiblir et de t'amener à manger davantage lors du prochain repas.

7. Ne saute surtout pas le petit-déjeuner ! C'est un repas essentiel pour le bon fonctionnement de ton métabolisme. Quand tu te réveilles, ça fait plus de 12 heures que tu jeûnes et ton corps a besoin de carburant nutritif pour commencer sa journée. De plus, le petit-déjeuner permet de combler tes besoins nutritifs en calcium et en fer. Si tu es pressé ou que tu n'as pas un gros appétit le matin, opte pour des muffins faits maison (laisse tomber les muffins industriels qui sont plutôt considérés comme des gâteaux), un yogourt à boire, une banane, une barre tendre aux céréales, etc.

8. Assure-toi que tes repas soient complets et équilibrés et de consommer des aliments issus des quatre groupes alimentaires comme un plat de pâtes et de sauce aux tomates, à la viande et aux légumes, servi avec du fromage et un petit morceau de pain; un sauté de légumes, de poulet et de nouilles de soja;

un sandwich à la dinde et au fromage sur pain aux céréales, servi avec une salade; du saumon accompagné de riz sauvage et de légumes grillés, etc.

9. Remplace le pain blanc par le pain brun. Le pain blanc est souvent constitué de farine blanche non enrichie, laquelle ne s'avère guère meilleure pour la santé que le sucre et ne procure pas les bons composants des grains entiers.

10. Opte pour le fromage faible en gras (moins de 30 % de matières grasses) ainsi que pour les yogourts et les produits laitiers qui ont un pourcentage de gras peu élevé. C'est aussi bon et ça fait la différence !

11. Méfie-toi des collations bourrées de sucre et de calories non nécessaires comme les muffins commerciaux, car ils ne sont pas très bons pour la santé.

12. Choisis des collations santé comme des fromages en ficelles, des fruits, des mélanges de noix, des crudités et du houmous, un sandwich au beurre d'arachide, etc.

13. Évite les aliments (surtout les céréales !) dont l'un des deux premiers ingrédients est une forme de sucre : sucre, dextrine, dextrose, glucose, saccharose, etc.

14. Évite les produits dont tu n'arrives pas à prononcer les ingrédients ! C'est signe que c'est très chimique, et donc mauvais pour la santé.

15. Priorise les aliments et les plats cuisinés à la maison. Les produits industriels contiennent souvent des agents de conservation et des colorants mauvais pour la santé et utilisent une trop grande quantité de sel, de sucre et de matières grasses.

16. Évite les aliments trop salés.

17. Préfère le poulet et les poissons à la viande rouge qui augmente le risque de mortalité et de maladies du cœur en plus de contenir plus de matières grasses.

18. Écoute ton corps et arrête de manger avant de te sentir complètement rassasié, puisque le cerveau a besoin de temps pour capter le message qui indique que ton corps n'a plus faim. Ça ne sert à rien de se bourrer la panse et de se rendre malade. Pour éviter de trop manger, mieux vaut prendre de petites portions et attendre un peu, quitte à se resservir.

19. Mange lorsque tu as faim, mais évite de grignoter pour passer le temps. Ce sont des calories inutiles que tu ingères !

20. Mange lentement pour faciliter ta digestion et profiter pleinement de ton repas.

21. Efforce-toi de manger à table et de créer une atmosphère propice aux repas plutôt que de t'installer devant la télé ou l'ordinateur. Tu prendras davantage conscience de ce que tu manges et tu profiteras d'un moment en famille !

22. Apprends à cuisiner ! C'est une des meilleures façons de contrôler ce que tu manges et d'apprendre à te familiariser avec les aliments et leurs vertus.

23. Garde ton métabolisme actif en mangeant une petite collation entre les repas, comme des carottes et du houmous, ou du céleri et du beurre d'arachide. Le jeûne fait ralentir le métabolisme et ne fait pas perdre de poids !

24. Évite de te peser tout le temps ! Si tu es quelqu'un d'actif, sache que les muscles pèsent plus que la graisse et que ton poids ne veut rien dire. Fie-toi plutôt à tes vêtements pour savoir si tu as engraissé.

25. Triche et fais-toi plaisir de temps à autre ! Après tout, il faut faire preuve de souplesse pour éviter de tomber dans l'obsession et de développer des troubles alimentaires. Tout est une question d'équilibre et de gros bon sens, et il ne faut pas oublier que manger est l'un des plaisirs de la vie !

Quelques idées de repas et de collations santé

Petit-déjeuner :

Une boisson frappée préparée avec des fruits frais et du yogourt nature ou du lait écrémé.

Une crème Budwig constituée d'une banane écrasée, d'un peu de jus de citron, de yogourt à la vanille et d'un mélange de graines de sésame, de graines de tournesol, d'avoine, de graines de lin et de graines de citrouille moulues.

Une omelette aux légumes et au fromage ricotta servie avec une rôtie de blé entier.

Du gruau servi avec des raisins secs et de la cannelle, le tout accompagné d'un verre de jus d'orange.

Un bol de céréales de blé entier servi avec du lait et des fruits.

Des œufs brouillés servis avec des légumes frais et une tranche de pain de blé entier.

Un bol de céréales muesli ou granola servies avec du yogourt nature et des fruits.

Dîner :

Une salade complète constituée de légumes, de blanc de poulet ou de thon et d'un peu de fromage, le tout servi avec une tranche de pain de grains entiers.

Une soupe-repas constituée de haricots, de maïs, de petites pâtes et de tomates.

Un pita tartiné de houmous, avec de la laitue et du fromage.

Un sandwich de tortilla de blé entier garni de dinde, de salade de poulet, de thon ou de saumon, de laitue, de fromage et de tomates.

Un sandwich aux tomates et au fromage mozzarella sur pain de blé entier.

Une salade aux fèves, au maïs et aux haricots verts.

Un sandwich de tofu, d'houmous ou de végépâté si tu es végétarien.

Une salade de riz sauvage.

Souper :

Un chili à la viande ou végétarien avec des haricots et des tomates. C'est nourrissant et super bon !

Des pâtes (préférablement de blé entier) servies avec une sauce aux tomates et au basilic. Ajoute du poulet ou de la viande hachée maigre si le cœur t'en dit.

Une salade-repas composée de légumes et de viande ou de tofu. Tu peux aussi agrémenter le tout de maïs, de tomates, de concombre, d'avocat, de poivrons et de fromage !

Une savoureuse omelette au jambon avec du fromage et des légumes.

Une pizza sur pain pita ! Il suffit d'ajouter de la sauce tomate, des légumes, de la dinde ou du jambon et tous les ingrédients dont tu raffoles et de mettre le tout au four pendant une dizaine de minutes !

Une salade de légumineuses avec des légumes et du maïs.

Le poulet est très facile à faire ! Tu peux en mettre dans une tortilla avec des légumes pour faire des fajitas ou le servir avec du riz brun ou des nouilles pour concocter un repas de type oriental !

Chapitre 6 : Les mythes alimentaires

Les mythes alimentaires

Plusieurs se nourrissent mal parce qu'ils croient en certains principes bidon ou qu'ils ne savent pas que plusieurs règles alimentaires sont en réalité des mythes qu'il faut éviter ! En voici un aperçu :

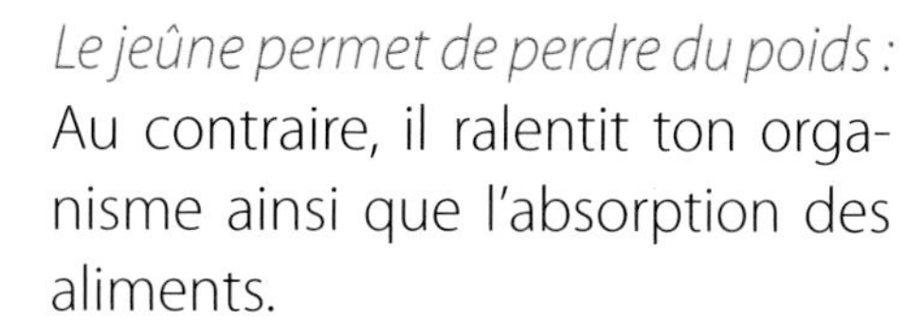

Le jeûne permet de perdre du poids : Au contraire, il ralentit ton organisme ainsi que l'absorption des aliments.

Le pain fait engraisser : Au contraire, les pains constitués de grains entiers demandent une digestion plus longue et te rassasient davantage, ce qui te permet de ne pas t'empiffrer aux repas ! Les grains entiers sont également très bons pour ton organisme.

Mieux vaut s'abstenir de déjeuner pour couper des calories : Erreur ! Le matin, ton corps est à jeun depuis plus de 8 heures et ton métabolisme est au ralenti, alors il faut le mettre en branle avec un bon déjeuner équilibré ! De plus, tu as besoin d'énergie pour écouter en classe et pour accomplir tout ce que tu veux faire au courant de la matinée !

Manger avant de se mettre au lit fait engraisser : C'est faux. Ce qu'il faut que tu saches, c'est que la prise de poids survient quand tu consommes plus de calories que tu en dépenses au cours de la journée. Tu dois être conscient que ce que tu manges avant de te mettre au lit s'accumule au reste des aliments ingérés au cours de la journée. Mais si tu as faim en fin de soirée, mieux vaut prendre une collation légère que de te coucher avec le ventre complètement vide ! Si tu manges trop, cela peut toutefois nuire à ton sommeil, alors contente-toi d'un verre de lait ou d'un ou deux biscuits !

Il faut manger davantage au souper : Non, puisque le soir, tu bouges moins et brûles moins de calories. Il vaut donc mieux déjeuner en roi, dîner en prince et souper de façon modérée en évitant les repas très riches ou ceux qui demandent une digestion plus laborieuse.

La malbouffe donne des boutons : Aucune étude ne prouve qu'il y ait un lien direct entre l'acné et l'alimentation. On sait toutefois qu'un régime sain et équilibré contribue à un teint santé.

L'huile est mauvaise pour la santé : Faux. Certaines huiles sont meilleures que d'autres. Par exemple, l'huile d'olive contient plusieurs nutriments bénéfiques et est considérée comme un bon gras au même titre que celui contenu dans les avocats et le saumon. Les bons gras permettent d'accroître le bon cholestérol

et de faire diminuer le mauvais en plus de réduire les risques de maladies du cœur et de cancer. L'huile d'olive étant évidemment riche en calories, il faut tout de même y aller avec parcimonie.

Les pâtes et les pommes de terre font engraisser : Au contraire, la teneur des pâtes et des pommes de terre en matières grasses n'est pas très élevée, et ces aliments ont tendance à nous rassasier plus vite que d'autres. Il faut toutefois faire attention aux accompagnements et aux sauces riches et caloriques comme la sauce hollandaise et les autres sauces à base de crème, de crème sure et de mayonnaise qui sont plus susceptibles de nous donner des rondeurs.

Le lait écrémé ou 1 % est beaucoup moins nutritif que le 2 % ou le 3,25 % : Pas du tout ! Les pourcentages représentent ici la teneur en matières grasses du lait. Comme la teneur en calcium et en vitamines demeure la même peu importe ce pourcentage, pourquoi ne pas opter pour un lait plus allégé ?

Le beurre est plus riche et plus gras que la margarine : Faux. Ils contiennent tous les deux environ la même quantité de matières grasses et de calories, mais le beurre contient plus de gras saturés nuisibles à la santé, tandis que la margarine hydrogénée contient des gras trans. La solution est d'opter pour une margarine non hydrogénée ou du beurre allégé, et d'utiliser les deux avec modération.

Un corps mince équivaut à un corps en santé : La santé dépend de plusieurs facteurs outre le poids. Si quelqu'un de plus enrobé a une alimentation équilibrée, pratique des activités sportives et adopte des habitudes de vie saines, il peut être en meilleur santé que quelqu'un de très mince qui fume, qui ne bouge jamais et qui s'alimente mal ![1]

Lorsque tu jeûnes, ton estomac rétrécit : Comme l'estomac est en réalité un muscle, il ne change pas de taille en fonction de ton alimentation. Il parvient à s'étirer lorsque tu manges beaucoup, mais il finit toujours par reprendre sa taille initiale lorsqu'il se vide.[2]

1 Source : Saines habitudes de vie, Gouvernement du Québec, 2011.

2 Idem.

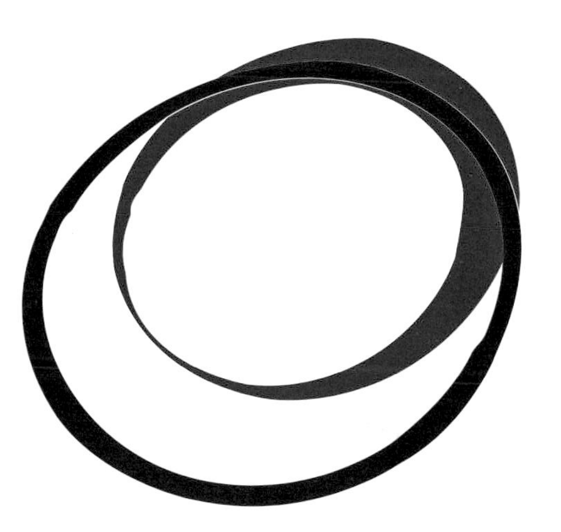

Chapitre 7 : Le poids et les régimes

Le poids et les régimes

Lors de la puberté, le corps se développe et se transforme du tout au tout. Ça prend plusieurs années avant qu'il se définisse et que tu termines ta croissance. En résumé, même si tu trouves ça troublant de voir tes fesses grossir, tes hanches ou tes épaules s'élargir, tes seins pousser ou tes cuisses se raffermir, sache que ton corps est en train de se transformer vers la phase adulte, qu'il s'agit d'un processus naturel et que c'est normal que tu prennes du poids au cours de la puberté. En grandissant, les choses auront tendance à s'équilibrer davantage, et il se peut fort bien que tu perdes ton gras de bébé ou les livres en trop. Les gars comme les filles doivent éviter de développer des complexes qui nuiront à leur santé physique et mentale et s'efforcer plutôt d'entretenir leur confiance en eux et une image positive d'eux-mêmes.

Le poids et l'indice de masse corporelle

Le poids est un élément qui peut complexer les garçons autant que les filles. On dirait qu'on ne peut jamais atteindre le poids désiré. On se trouve toujours trop gros, trop maigre, trop rond ou trop mince. Mais tu ne dois pas être trop dur envers toi-même et t'imaginer que tu es obèse si tu engraisses de quelques livres après Noël, ou croire que tu es trop maigre parce que tous les gars sont plus musclés que toi ou parce que toutes les autres filles (sauf toi) portent un soutien-gorge !

Sache que le poids n'est pas toujours le meilleur indicateur de ton apparence physique. Comme les muscles pèsent plus que le gras, une fille ou un garçon mince et musclé risque de peser plus qu'une fille ou un garçon un peu plus rondelet. Ne te laisse pas leur-

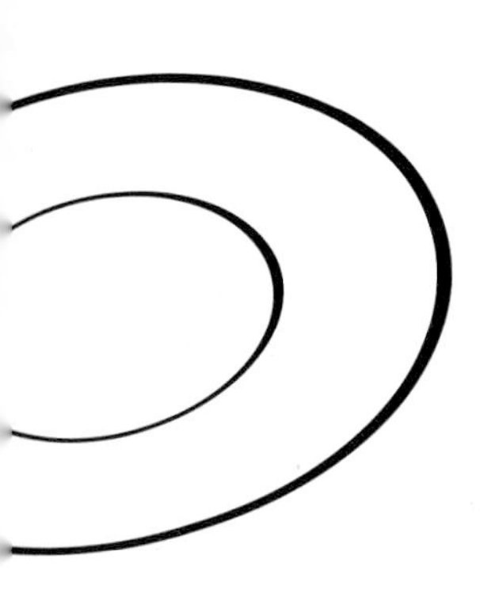

rer par la balance. Laisse-toi plutôt guider par tes vêtements pour savoir si tu as vraiment pris du poids ou si tu as perdu quelques livres. Si tu n'entres plus dans tes jeans, c'est sûrement parce que ton corps est en train de se développer, ou alors c'est un petit avertissement à l'effet que tu as pris quelques livres. Si tu flottes dans tes pantalons, c'est certainement parce que tu as perdu du poids.

Par ailleurs, l'indice de masse corporelle (IMC) permet de déterminer avec justesse la quantité de matière grasse que contient ton corps, ainsi que sa corpulence en général. Tu peux ainsi vérifier que ton poids se trouve bien dans la moyenne. L'IMC se calcule en fonction de ton poids et de ta taille. Tu dois diviser ton poids (en kilogrammes) par le carré de ta taille (en mètres).

IMC = Poids ÷ taille2

Par exemple, si tu as 10 ans, que tu pèses 40 kg (88 livres) et que tu mesures 1,50 m, tu dois diviser 40 par (1,50 x 1,50). Cela donne un IMC de 17,78, qui est considéré comme normal. Entre l'âge de 8 et 12 ans, l'IMC normal chez les filles se situe entre 13 et 22. Un IMC inférieur à 13 chez une jeune de 8 ans, ou 14 pour une jeune de 12 ans indique une insuffisance de poids, tandis qu'un IMC supérieur à 18 chez une jeune de 8 ans ou supérieur à 22 chez une jeune de 12 ans indique un problème de surpoids. Chez les garçons de 8 à 12 ans, l'IMC normal se situe entre 13 et 21,5. Un IMC inférieur à 13 chez un jeune de 8 ans, ou 14,5 pour un jeune de 12 ans, indique une insuffisance de poids, tandis qu'un IMC supérieur à 18,5 chez un jeune de 8 ans ou supérieur à 21,5 chez un jeune de 12 ans indique un problème de surpoids. Tu peux consulter ces deux tableaux qui t'aideront à mieux analyser ton IMC et voir si tu te situes bien dans la moyenne.

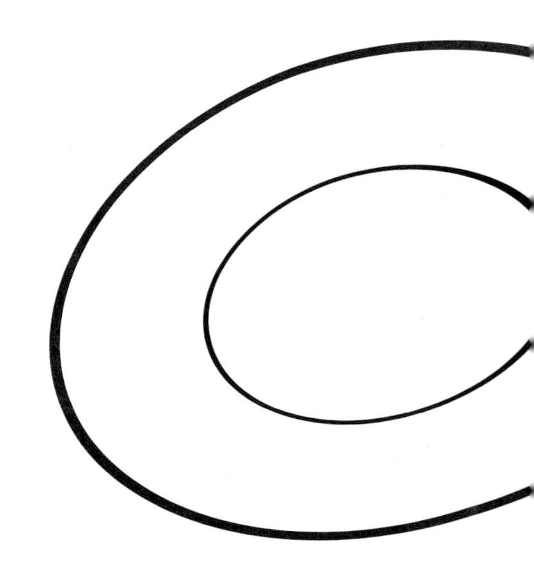

Diagramme de l'IMC chez les filles

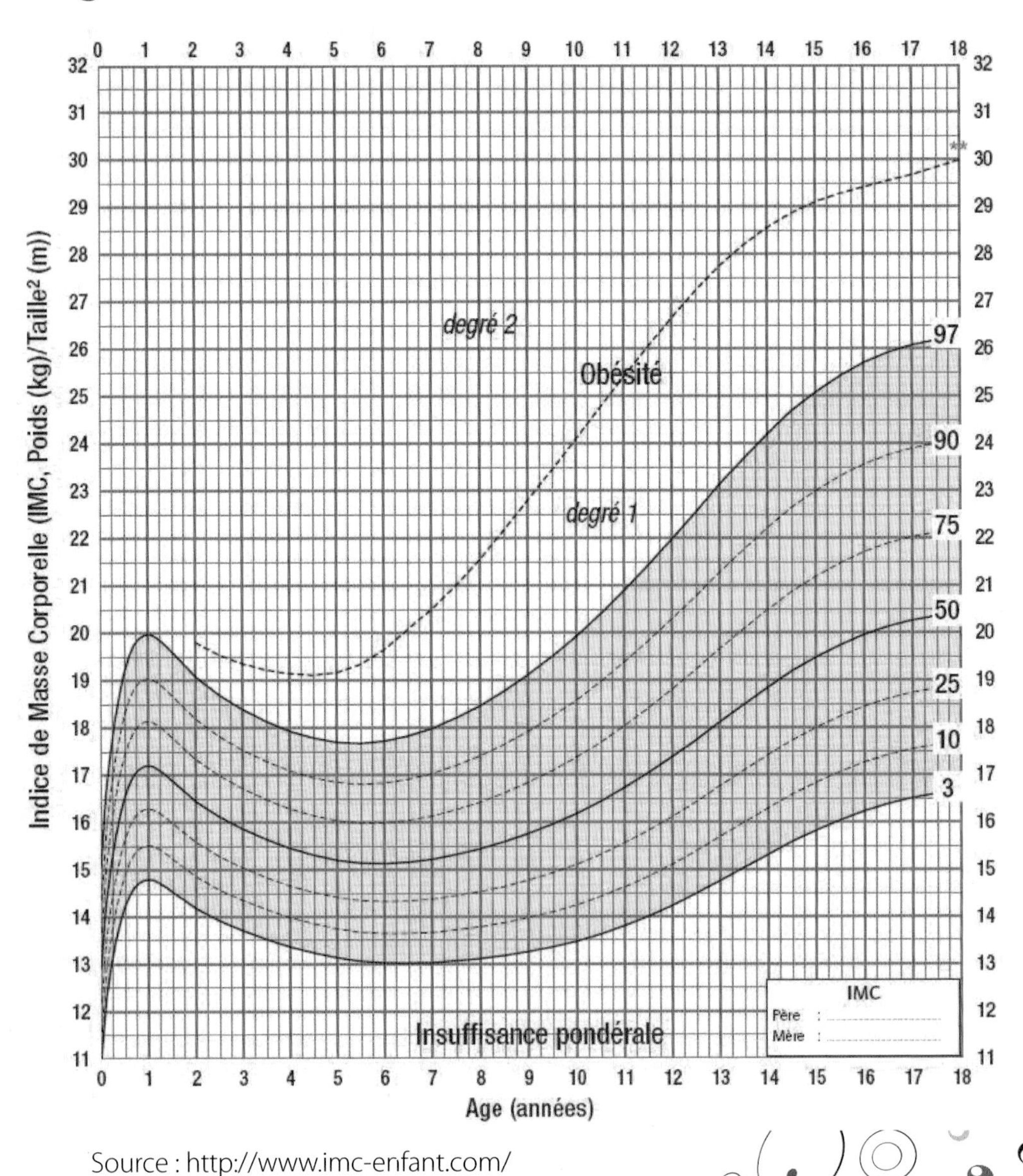

Source : http://www.imc-enfant.com/

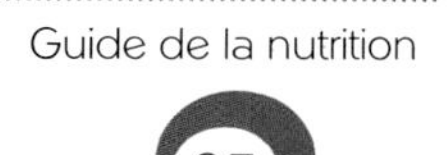

Diagramme de l'IMC chez les garçons

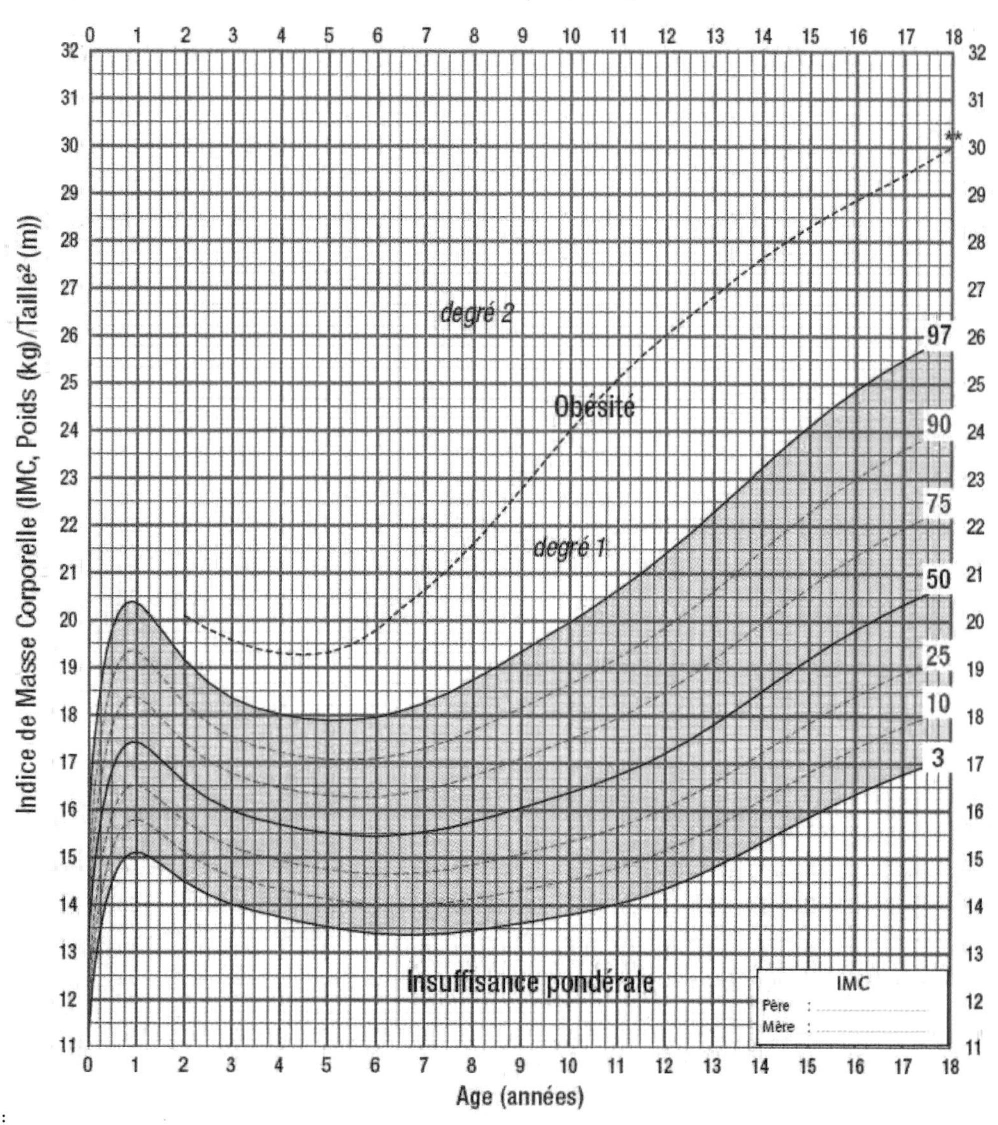

Régimes chez les filles

La plupart du temps, ce sont les filles qui se donnent du mal pour contrôler leur poids et qui s'efforcent de suivre un régime alimentaire pour maigrir. Si tu juges vraiment que tu as quelques livres à perdre, tu dois te fixer un objectif réaliste et raisonnable qui ne te rendra pas malade. Tu dois savoir que toutes les filles ont des formes et des silhouettes différentes, et que tu dois avant tout apprendre à apprécier la tienne. Pour perdre quelques livres, tu dois adopter de bonnes habitudes alimentaires, manger sainement et éviter le plus possible les aliments sucrés et gras qui ont tendance à se loger dans les cuisses et les fesses. Il n'existe pas de solution miracle pour affiner ta silhouette. Tu dois bien t'alimenter, boire

beaucoup d'eau, bien dormir et bouger le plus possible ! Fais du sport et efforce-toi de rester active physiquement pour brûler des calories et te sentir bien dans ta peau, mais ne te laisse pas duper par les régimes miracles, les pilules qui font supposément maigrir, les crèmes amincissantes et les méthodes extrêmes pour perdre du poids. Non seulement il s'agit de méthodes malsaines qui causent des carences et entraînent des troubles alimentaires, mais elles n'apportent généralement pas les résultats désirés. Le mieux, c'est d'opter pour la simplicité : prends de petits repas plusieurs fois par jour en te nourrissant de façon saine et équilibrée et en prenant bien soin d'y inclure des aliments issus des quatre groupes alimentaires. Si tu veux suivre un régime plus structuré, tu peux consulter un diététiste ou un nutritionniste qui pourra établir un plan sain et équilibré pour toi plutôt que de suivre des régimes extrêmes qui risquent de nuire à ta santé, ou même de te faire prendre encore plus de poids !

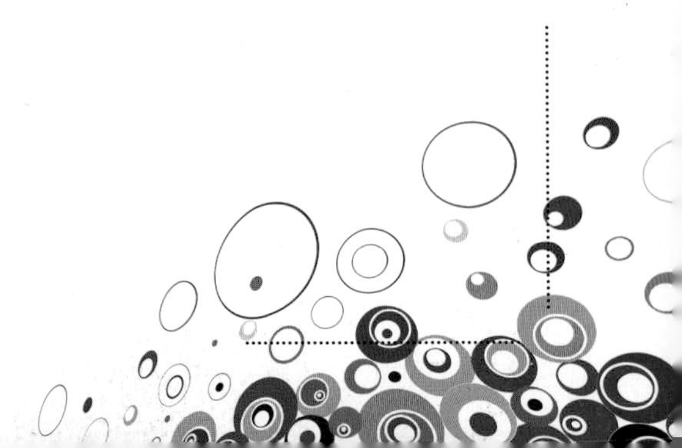

Chapitre 8 : Complexes et troubles d'alimentation

Complexes et troubles d'alimentation

Même si c'est important de manger sainement et de façon équilibrée, ça ne veut pas dire que tu dois tomber dans les extrêmes et devenir obsédé par la minceur. Lors de la puberté, ton corps se développe super vite et il a besoin de carburant pour bien fonctionner. Les régimes extrêmes et les troubles d'alimentation peuvent donc s'avérer très dangereux. Il vaut mieux apprendre à t'aimer tel que tu es plutôt que de te comparer aux autres ou aux mannequins et aux modèles de beauté super musclés et extrêmement minces, car tu risques de développer des complexes inutiles. La beauté n'est pas synonyme de minceur; si tu es bien dans ta peau et que

tu as confiance en toi, tu dégageras une énergie et une beauté qui attireront les regards et qui te feront sentir encore mieux dans ton propre corps.

À la puberté, ton corps se transforme, et tu sens peut-être que tu n'as plus de contrôle sur tes formes. Il se peut que tu ne te reconnaisses plus et que tu développes des complexes, car tu as de la difficulté à accepter ton corps tel qu'il est. Les filles ont particulièrement la fâcheuse habitude de se comparer aux autres ou aux standards de beauté clichés et irréalistes des magazines de mode. C'est normal de te sentir perturbée par tous ces changements. Ton corps se transforme en celui d'une femme avant même que tu t'y sois préparée mentalement. Tu dois t'accorder un peu de temps pour t'habituer à ces ajustements et surtout, tu dois apprendre à t'accepter et à t'aimer telle que tu es. Il ne faut pas en faire une obsession. Personne n'est parfait, alors aussi bien apprendre à vivre avec ton corps et te sentir bien dans ta peau.

Tu peux apprendre à maîtriser tes complexes pour ne pas qu'ils deviennent un véritable handicap et qu'ils t'empêchent de te sentir en confiance. Pour ce faire, tu dois être indulgent envers toi-même. Si tu te trouves trop maigre, tu peux faire du sport, changer ton alimentation et essayer de développer tes muscles, mais n'oublies pas que la puberté touche les garçons et les filles à des moments différents, et que si tu es plus petit que les autres ou que tu n'as pas de formes aujourd'hui, la nature fera bientôt son œuvre et ton corps se développera tôt ou tard. Si tu juges au contraire que tu as quelques livres à perdre, encore une fois tu peux devenir plus actif et t'alimenter plus sainement pour t'aider à te sentir mieux dans ta peau, et dis-toi que le corps s'affine au fil des ans. Les gars peuvent quant à eux développer des complexes parce que leurs bras poussent plus vite que leur corps, parce qu'ils sont plus maigres que leurs amis ou parce qu'ils se trouvent trop petits comparés au reste de la classe. Encore une fois, je répète que la croissance survient à des moments différents pour chacun et que tu dois laisser à ton corps le temps de se développer et de croître complètement. Tout finira par s'ajuster.

Estime de soi

Tout le monde a des complexes et voudrait idéalement améliorer certaines parties de son corps. À l'adolescence, ce désir est amplifié par un sentiment d'impuissance face aux changements qu'on traverse. Tu n'as pas demandé à avoir une voix d'homme ou des seins de femme, mais la nature fait son œuvre et tu ne peux rien y faire. Aussi, même si tu te compares aux autres, tu ne peux pas changer de corps ou de physique avec eux, alors aussi bien te regarder dans la glace et t'accepter comme tu es une fois pour toutes. En vieillissant, on apprend à s'accepter comme on est et on devient plus à l'aise dans notre corps, mais ça ne veut pas dire qu'on se défait complètement de nos complexes et qu'on oublie les défauts physiques qui nous énervent; on apprend simplement à les apprivoiser ! Pour t'aider à vaincre tes complexes, essaie de te concentrer sur le positif et fais une liste des attributs que tu aimes chez toi, des parties de ton corps que tu préfères et de tes plus grandes qualités. Tu peux ainsi apprendre à te mettre en valeur et à t'aimer davantage plutôt que de broyer du noir et de développer une faible estime de toi. Fais de même avec tes forces. Même si tu n'es pas le plus doué en mathématiques, il y a sans doute des matières dans lesquelles tu excelles et des activités qui te passionnent, alors aussi bien te concentrer sur tes forces que sur tes faiblesses. Tu auras peut-être à travailler un peu plus fort dans certaines matières, mais c'est la vie ! Personne n'est parfait !

L'anorexie

À la puberté, l'anorexie et la boulimie sont les deux troubles alimentaires les plus fréquents. L'anorexie est un trouble alimentaire qui se caractérise surtout par des habitudes alimentaires malsaines et anormales causées par une peur incontrôlable de prendre du poids et par une obsession de l'image corporelle. L'anorexie mentale touche plus de 8 % des filles âgées entre 15 et 25 au Québec. Au Canada, 90 % des anorexiques sont des filles et 10 % sont des garçons, et plus de 80 % des filles admettent avoir suivi un régime avant l'âge de 18 ans. Quand quelqu'un souffre d'anorexie, il s'empêchera souvent de manger de peur de prendre du poids. La maladie peut être causée par des facteurs psychologiques et sociaux qui viennent déranger la perception que le jeune à risque a de lui-même. Par ailleurs, les anorexiques ont tendance à avoir une image déformée de leur propre corps et sont obsédés par la peur de grossir. Le jeûne volontaire, les vomissements et l'exercice physique pratiqué de façon excessive entraînent alors souvent une perte de poids importante, des irrégularités dans le cycle menstruel chez les filles (et même l'arrêt complet

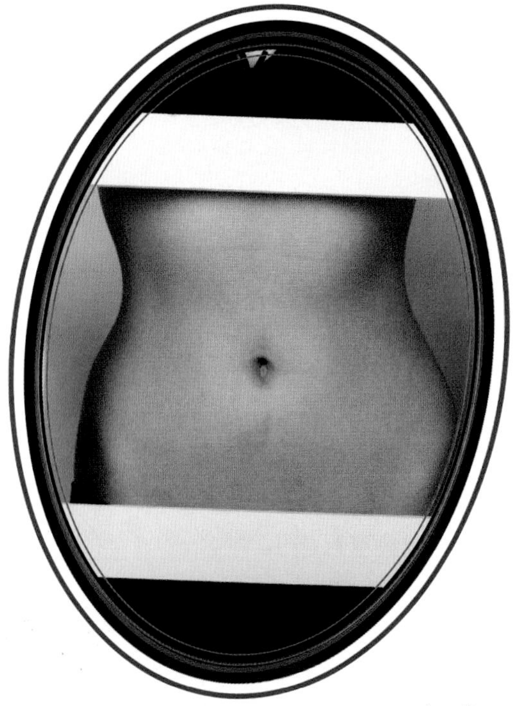

des règles), un sentiment de fatigue général et une difficulté à dormir. Au point de vue du comportement, quelqu'un qui est atteint d'anorexie aura souvent tendance à s'isoler, à se renfermer sur lui-même, à se comparer sans cesse aux autres et à être hanté par son image corporelle. Il inventera souvent toutes sortes de prétextes pour éviter de manger et aura tendance à développer une obsession, voire même un dégoût à l'égard de la nourriture. Si tu te reconnais dans cette description, sache que l'anorexie est un trouble mental qui peut avoir de fortes répercussions sur ta santé. Il est donc essentiel que tu en parles à un spécialiste comme un médecin, et/ou à un membre de ta famille pour te faire soigner et apprendre à contrôler ta maladie et tes angoisses. Si tu crois qu'une amie est anorexique (la maladie touche généralement les filles) et qu'elle présente tous les symptômes, essaie de lui en parler calmement. Il se peut qu'elle nie le problème et qu'elle refuse carrément de t'écouter. Souligne le fait qu'elle a perdu beaucoup de poids et que son comportement a vraiment changé récemment. Si elle refuse toujours d'affronter la réalité, tu peux consulter l'avis d'un médecin ou d'un psychologue qui saura te donner des trucs pour intervenir auprès de ton amie. Il se peut que tu aies besoin du soutien de sa famille et de ses proches pour lui faire prendre conscience de son problème, mais surtout, n'abandonne pas, car tant et aussi longtemps qu'elle n'admettra pas son problème, elle ne pourra pas reprendre confiance en elle et se faire soigner. L'anorexie est un appel à l'aide qui indique que la personne affectée n'est pas bien dans son corps, alors essaie de lui tendre une perche et de la faire sentir en confiance.

La boulimie

La boulimie est un trouble alimentaire qui se caractérise par un besoin incontrôlable de manger, suivi de comportements malsains pour ne pas prendre de poids comme des vomissements répétés, des exercices physiques excessifs, la prise de laxatifs, etc. Il s'agit aussi d'un trouble alimentaire causé par un manque d'estime de soi souvent lié à la forte pression sociale exercée sur le corps des femmes, à la promotion de la minceur ou à un échec personnel. Il est encore une fois très important d'en parler à un adulte et de recevoir l'aide nécessaire pour pouvoir contrôler ses angoisses et maîtriser la maladie.

Acceptation de soi

Les complexes entrent en lien direct avec la confiance en soi. Si tu te concentres sur tes faiblesses, tes défauts et tes petits complexes physiques, tu développeras sans doute une faible estime de toi et tu auras peut-être même de la difficulté à te faire des amis et à te sentir épanoui.

Les complexes se forment dans ta tête, alors il en revient à toi d'apprendre à les contrôler et à banaliser les détails qui te plaisent moins à propos de toi-même. Quels que soient ta taille, ton poids ou ta silhouette, le mieux à faire est d'apprendre à t'apprécier tel que tu es, à te valoriser et à te concentrer sur tes qualités, tes forces et tes atouts. Si tu te sens bien dans ton corps et dans ta tête, les choses s'enchaîneront d'elles-

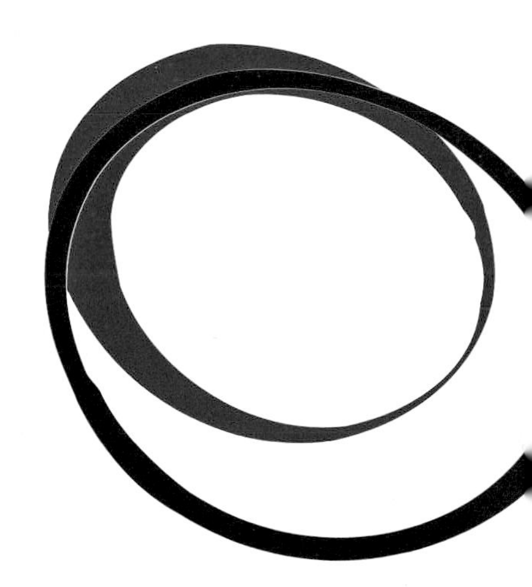

mêmes. La beauté commence à l'intérieur, et si tu dégages de la confiance et de l'assurance, les gens auront envie de venir vers toi et d'apprendre à te connaître. Les choses changeront beaucoup au cours des années, alors ne désespère pas si tu sens que ton corps ne t'appartient plus. Dis-toi aussi que tu n'es pas seul dans ta situation et que la plupart des gars et des filles ne comprennent pas trop ce qui leur arrive lors de la puberté. Donne-toi le temps de t'y faire et apprends à mettre ton corps en valeur. Accepte-toi comme tu es et apprends à te valoriser. Je sais que c'est plus facile de se concentrer sur les choses qui nous énervent que sur les aspects que l'on aime, mais si tu jettes un nouveau regard sur ton anatomie et sur ta personne, je t'assure que tu te sentiras beaucoup mieux dans ton corps.

Chapitre 9 : Un, deux, trois, bouge !

84

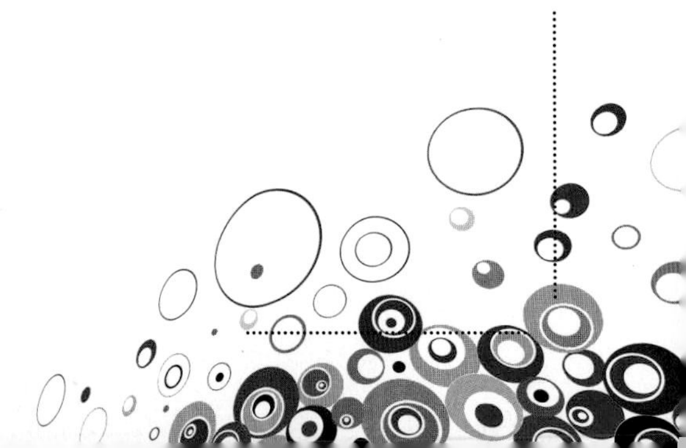

Un, deux, trois, bouge !

C'est super important de bouger et de faire du sport pour dépenser de l'énergie, rester en forme et te sentir mieux dans ta peau. Le sport sert aussi à te défouler et à réduire ton stress, ce qui te permettra de mieux dormir la nuit et d'être plus concentré tout au long de la journée. De plus, l'exercice physique aide à raffermir ton corps, à conserver ta ligne et à maintenir ton poids santé et à développer une plus grande confiance en toi. N'oublie pas que tes os et tes muscles se développent et qu'il vaut mieux commencer dès maintenant à bouger pour renforcer ton cœur, raffermir tes muscles, dépenser de l'énergie, garder la forme et prendre soin de ta silhouette.

De tout pour tous les goûts

Il existe toutes sortes de sports que tu peux pratiquer seul ou en équipe. Tu peux opter pour le gym, le jogging ou la marche si tu veux en profiter pour passer un peu de temps dans ta bulle, écouter de la musique et décrocher du reste du monde. Sinon, les sports d'équipe comme le hockey et le basket te permettent de t'amuser, de te défouler avec les autres, de faire des rencontres et de développer ton esprit d'équipe. Tu peux aussi essayer des sports plus originaux et voir ce qui te convient le mieux : la boxe, le karaté, la capoeira, le judo, la natation, etc. L'important, c'est que tu trouves quelque chose qui te plaise et qui te permette d'avoir du plaisir tout en prenant soin de ton corps.

Si tu méprises les sports, sache qu'il s'agit parfois d'une passion qui se développe au fil du temps. Plus on est actif, plus on devient accro au sport et à l'activité physique et plus on a envie d'adopter des habitudes de vie saines. Tu dois te laisser le temps de découvrir tous les bienfaits et les avantages que cela t'apporte, et après quelques séances, tu réaliseras que tu te sens vraiment mieux dans ta peau. Tes courbatures musculaires te rappelleront que tu as fait travailler ton corps, et dès que tu verras les résultats, tu ne pourras plus t'arrêter ! Rappelle-toi que l'activité physique te permet vraiment de décrocher, de te surpasser, de te défouler et de te sentir bien dans ton corps. Commence par des activités physiques modérées et agréables qui te permettent de rester actif. Par exemple, tu peux te promener à pied avec ton lecteur MP3, te balader en vélo ou en patins à roues alignées, prendre l'habitude d'utiliser l'escalier plutôt que l'ascenseur, de marcher plutôt que de prendre l'autobus, etc. Tu peux aussi demander à un ami de se joindre à toi pour courir dans le parc, pour escalader une montagne, pour faire une balade en nature ou pour te promener dans la ville. Bref, choisis une activité qui te plaît et essaie d'intégrer le sport à ta vie quotidienne en t'efforçant de pratiquer au moins une demi-heure d'activité physique par jour. C'est important pour ton moral, pour ta ligne et pour ta santé !

Voici par ailleurs quelques exercices que tu peux pratiquer quotidiennement dans le confort de ton salon et qui t'aideront à raffermir et muscler tes cuisses, tes bras, tes fesses, tes abdominaux et tes pectoraux !

Les cuisses (au moins 3 séries de 12 répétitions)

A- Extérieur de la cuisse

Allonge-toi sur le côté en appuyant ta tête sur ton bras ou en prenant appui sur ton coude. La jambe d'appui peut être étendue ou fléchie à 90°, tandis que l'autre jambe est tendue et légèrement soulevée. Élève et abaisse lentement la jambe tendue (celle du dessus) dans le prolongement de ton corps. Tu peux utiliser un haltère pour ajouter de la résistance et faire travailler davantage tes cuisses. Répète l'exercice avec l'autre jambe.

B- Intérieur de la cuisse

Allonge-toi sur le côté en appuyant ta tête sur ton bras ou en prenant appui sur ton coude, puis ramène la jambe du dessus de-

vant toi. Tourne l'autre jambe vers l'extérieur de façon à effectuer une flexion du pied (les orteils sont tournés vers toi). Soulève cette jambe le plus haut possible sans bouger tes hanches. Ne dépose pas la jambe sur le sol entre les répétitions. Fais de même pour l'autre jambe.

Les bras (au moins 3 séries de 12 répétitions)

A- Poitrine

Allonge-toi sur le dos (sur un matelas de sol ou sur un tapis de yoga), tends les bras de chaque côté de ton corps et fléchis légèrement les coudes, puis lève les haltères au-dessus de ta poitrine. Redescends ensuite jusqu'à la position de départ en t'assurant que tes bras ne descendent pas plus bas que tes épaules.

B- Biceps

Installe-toi debout, les pieds écartés de la largeur de tes hanches et les genoux légèrement fléchis. Prends un haltère dans une main, puis fléchis ton avant-bras en ramenant l'haltère vers ton épaule, et reviens à la position de départ. Garde ton avant-bras légèrement fléchi en tout temps. Répète pour l'autre bras, ou alterne d'un bras à l'autre.

Les abdominaux

A- La planche

Allonge-toi sur le ventre, puis prends appui sur tes coudes, sur tes avant-bras et sur tes orteils en contractant les muscles de tes abdominaux et de tes fessiers de façon à allonger ton dos et à t'assurer que ton corps soit bien droit. Maintiens la position pendant 30 secondes ou exécute 3 répétitions de 15 secondes.

B – Les obliques

Allonge-toi sur le dos et fléchis une jambe à 90° en gardant la plante de ton pied sur le sol. Soulève l'autre jambe et pose ta cheville sur le genou de la jambe opposée. Pose les mains de chaque côté de ta tête. Soulève légèrement le haut de ton corps en contractant les abdominaux et en dirigeant l'épaule vers le genou de la jambe opposée. (Par exemple, dirige l'épaule droite vers le genou gauche. Ta cheville gauche doit être posée sur ton genou droit. Voir l'image.) Effectue 3 séries de 15 répétitions de chaque côté.

Les fessiers (au moins 3 séries de 12 répétitions pour chaque jambe)

A- Flexion des jambes (*squat*)

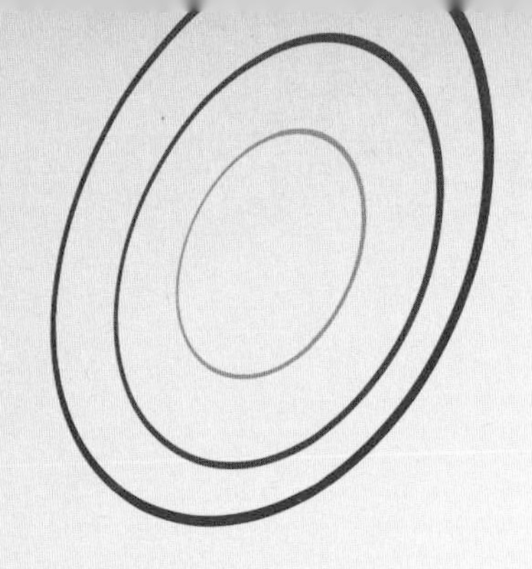

Installe-toi debout et écarte les pieds de la largeur de tes hanches, puis fléchis les genoux. Garde toujours le dos droit. Plie les genoux et sors les fesses vers l'extérieur en adoptant une position légèrement accroupie, comme si tu t'apprêtais à t'asseoir. Relève-toi en contractant les fesses, les cuisses et les abdominaux. Tu peux utiliser des haltères.

B- Fente (*lunge*)

Installe-toi debout en tenant un haltère dans chaque main. Fais un grand pas vers l'avant, puis plie les genoux de façon à ce que le genou arrière se trouve à quelques centimètres du sol et que le genou avant soit en ligne droite avec ta cheville. Redresse-toi et reprends la position de départ.

Conclusion

Tu saisis maintenant mieux l'importance des aliments que tu mets dans ta bouche et l'impact qu'ils peuvent avoir sur le bon fonctionnement de ton organisme. Il n'existe pas de potion magique ou de recette miracle pour être en santé et bien dans sa peau. L'important, c'est de développer une bonne estime de soi et d'adopter une alimentation saine et équilibrée en consommant des aliments variés issus des quatre groupes alimentaires. Il faut également surveiller ses portions et ne pas avoir les yeux (et l'appétit) plus grands que la panse pour éviter le surpoids et l'ingestion de calories inutiles. Aussi, tu connais maintenant l'importance de l'activité physique. Même si on te le dit et te le redit sans cesse, bouger est une excellente façon de dépenser des calories et de te sentir mieux dans ta peau. Il faut manger mieux et bouger un peu plus pour avoir un corps en santé ! Ne néglige pas non plus l'importance du sommeil dans ta routine, car il te permet de refaire le plein d'énergie et de te sentir en meilleure forme physique. Pour ce qui est de ton alimentation, il ne suffit parfois que d'utiliser ton jugement lorsque tu fais des choix alimentaires : tu sais très bien que les croustilles, les bonbons et les boissons gazeuses ne font pas partie d'un régime santé et ne contribuent en rien au bon fonctionnement de ton organisme. Cela ne veut pas dire que tu dois te priver en tout temps; au contraire, lorsque tu te limites sans cesse et que tu te tortures, tu attribues une connotation négative aux saines habitudes de vie et tu te prives des petits plaisirs de la vie. Il faut savoir se gâter et se faire plaisir de temps à autre, mais il ne faut pas que ces « plaisirs coupables » fassent partie de ton

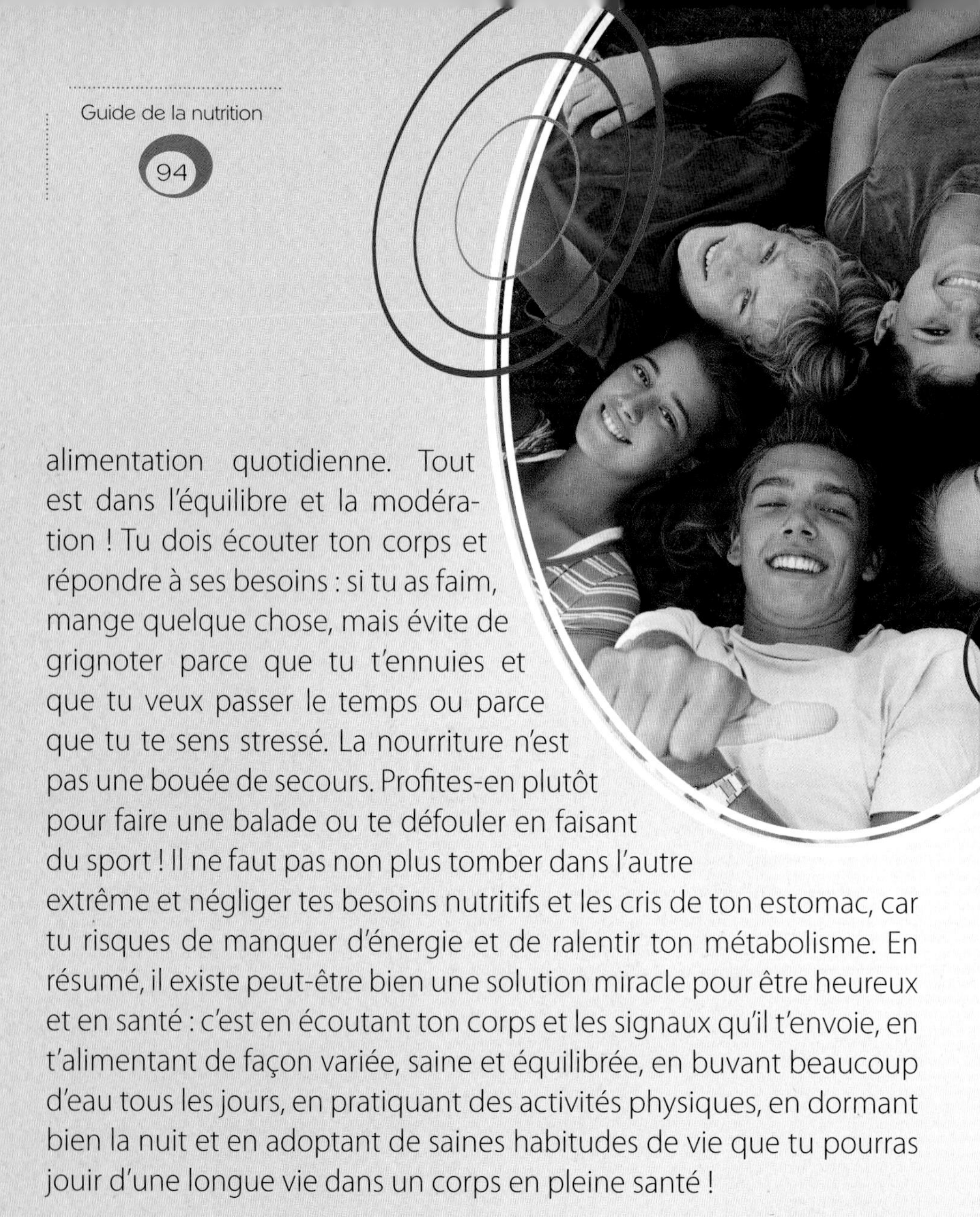

alimentation quotidienne. Tout est dans l'équilibre et la modération ! Tu dois écouter ton corps et répondre à ses besoins : si tu as faim, mange quelque chose, mais évite de grignoter parce que tu t'ennuies et que tu veux passer le temps ou parce que tu te sens stressé. La nourriture n'est pas une bouée de secours. Profites-en plutôt pour faire une balade ou te défouler en faisant du sport ! Il ne faut pas non plus tomber dans l'autre extrême et négliger tes besoins nutritifs et les cris de ton estomac, car tu risques de manquer d'énergie et de ralentir ton métabolisme. En résumé, il existe peut-être bien une solution miracle pour être heureux et en santé : c'est en écoutant ton corps et les signaux qu'il t'envoie, en t'alimentant de façon variée, saine et équilibrée, en buvant beaucoup d'eau tous les jours, en pratiquant des activités physiques, en dormant bien la nuit et en adoptant de saines habitudes de vie que tu pourras jouir d'une longue vie dans un corps en pleine santé !

96

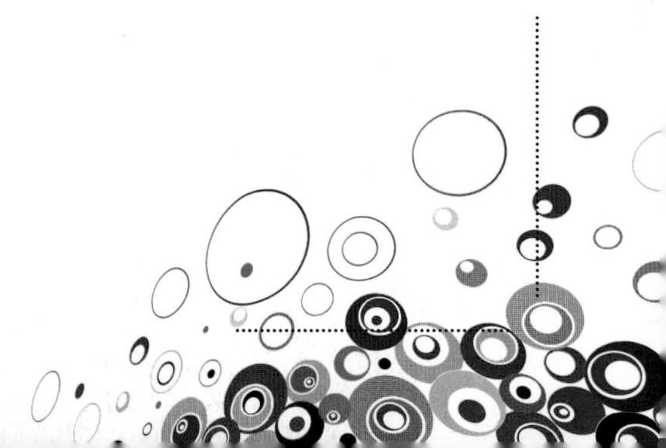

Recettes santé faciles comme tout !

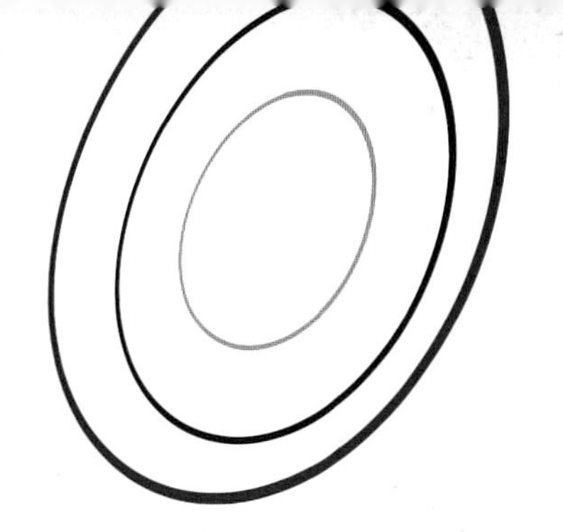

Voici quelques idées de recettes complètes et santé qui pourront t'inspirer lorsque tu as envie de mettre la main à la pâte ;)

1- Pizza pita

Portions : 1
Préparation : 10 min
Cuisson : 10 min

Ingrédients :

- 1 petit pain pita de blé entier
- 2 c. à soupe de sauce tomate
- 1 tranche de jambon coupé en languettes
- 1 c. à thé de basilic
- Garnitures de ton choix (olives tranchées, champignons ou poivrons tranchés, etc.)
- 1/4 de tasse de fromage cheddar râpé
- Sel et poivre

Instructions :

Préchauffe le four à 350 °F/175 °C.

Étale la sauce tomate sur toute la surface de ton pain pita.

Dépose les languettes de jambon sur la sauce et ajoute les garnitures de ton choix, puis saupoudre le tout de basilic. Assaisonne avec du sel et du poivre.

Recouvre tes garnitures avec du fromage.

Fais cuire ta pizza au four pendant 10 minutes jusqu'à ce que le dessous du pain soit doré et que le fromage soit fondu.

2- Salade de fèves colorée

Portions : 4
Préparation : 15 min
Réfrigération : 20 min

Ingrédients :

- 1 conserve de fèves mélangées
- 1 conserve de pois chiches
- 1 conserve de maïs en grains
- 1/2 poivron rouge
- 1/2 poivron vert
- 1/2 poivron jaune
- 3 c. à soupe d'huile d'olive
- 3 c. à soupe de vinaigre de vin
- 2 c. à soupe de jus de citron
- 1 c. à thé de persil
- 1 c. à thé de basilic
- Sel et poivre

Instructions :

Mélange les fèves et les pois chiches et rince-les sous l'eau avant de les égoutter. Dépose le tout dans un grand bol à salade. Ajoute le maïs en grains et mélange le tout.

Coupe le poivron jaune, le poivron vert et le poivron rouge en petits morceaux et dépose-les dans le bol avec les fèves.

Dans un petit bol, mélange l'huile d'olive, le vinaigre, le citron, le persil et le basilic et fouette les ingrédients ensemble. Verse la vinaigrette sur ta salade et assaisonne-la de sel et de poivre. Mélange bien le tout et dépose la salade dans le réfrigérateur pendant au moins 20 minutes avant de la déguster.

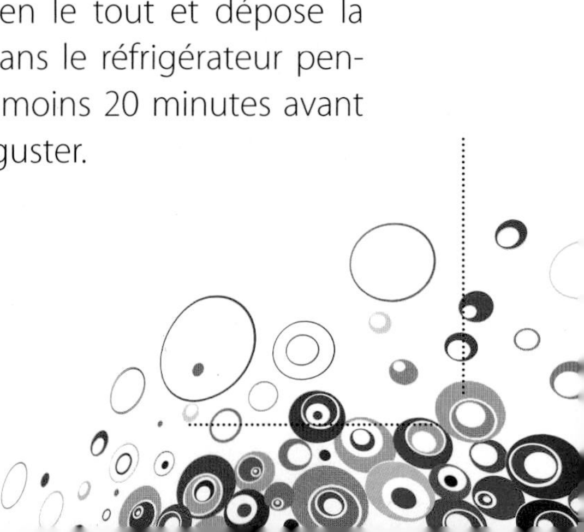

3- Chop-suey !

Portions : 4
Préparation : 15 min
Cuisson : 20 min

Ingrédients :

- 2 c. à soupe d'huile d'olive
- 1 branche de céleri tranchée en petits morceaux
- 1 petite carotte coupée en lanières
- 1/2 poivron vert coupé en fines lanières
- 1/2 tasse de pois mange-tout
- 1/2 tasse de champignons tranchés
- 2 poitrines de poulet désossées sans la peau coupées en lanières minces
- 3 ou 4 tasses de fèves germées
- 1 conserve de petits épis de maïs (facultatif)
- 2 c. à soupe de sauce teriyaki
- 2 c. à soupe de sauce soja

Instructions :

Fais chauffer 1 c. à soupe d'huile dans une grande poêle à sauter ou dans un wok, puis fais sauter le céleri, le poivron, la carotte, les pois mange-tout et les champignons pendant 3 ou 5 minutes à feu moyen-fort et mets le tout de côté dans un plat.

Fais chauffer le reste de l'huile à feu moyen, puis ajoute les lanières de poulet et fais sauter pendant 5 à 7 minutes. Ajoute les légumes cuits, les fèves germées et les épis de maïs et fais sauter le tout pendant environ 2 minutes.

Pendant ce temps, mélange la sauce teriyaki et la sauce soja dans un petit bol, puis verse la sauce sur le mélange de poulet et de légumes. Brasse et laisse mijoter pendant 2 minutes. Assaisonne ton plat de sel et de poivre au besoin. Tu peux aussi ajouter quelques gouttes de sauce piquante ou de sauce hoisin pour plus de saveur.

4- Salade tiède au bœuf

Portions : 2
Préparation : 15 min
Cuisson : 5 min

Ingrédients :

- 2 tranches de filet (ou de faux-filet) de bœuf
- 2 c. à soupe de sauce soja
- 2 c. à soupe de sauce Worcestershire
- 2 c. à soupe d'huile de sésame
- 1 c. à soupe de jus de citron
- 4 tasses de mâche ou d'épinards
- 1 avocat tranché
- 8 tomates cerises coupées en deux
- Sel et poivre
- Graines de sésame

Instructions :

Coupe le filet de bœuf en lanières et dépose-les dans un bol.

Mélange la sauce soja, la sauce Worcestershire, l'huile et le jus de citron dans un bol et verse la moitié de la marinade sur les lanières de bœuf. Badigeonne les lanières dans la marinade, puis fais chauffer une poêle antiadhésive à feu moyen.

Saisis les lanières marinées dans la poêle pendant 3 à 4 minutes en les retournant à la mi-cuisson.

Verse la mâche ou les épinards dans un grand saladier. Ajoute les tranches d'avocat, les morceaux de tomates et les lanières de bœuf, puis verse le reste de la sauce sur la salade. Assaisonne de sel et de poivre et garnis le tout de graines de sésame.

5- Le croque déjeuner

Portions : 1
Préparation : 10 min
Cuisson : 5 min

Ingrédients :

- 1 bagel au sésame (ou blé entier)
- 1 œuf
- 1 c. à soupe de margarine
- 1 tranche de jambon forêt noire
- 1 tranche de fromage cheddar ou suisse
- 1 c. à soupe de mayonnaise
- Sel et poivre

Instructions :

Coupe le bagel en deux dans le sens de la longueur et fais-le griller. Tartine ensuite les deux surfaces intérieures avec de la mayonnaise.

Fais fondre la margarine dans une poêle à frire, puis fais cuire ton œuf de la façon que tu préfères. Assaisonne-le de sel et de poivre. Lorsqu'il est prêt, dépose-le sur une des surfaces tartinées de ton bagel, puis recouvre-le d'une tranche de fromage et d'une tranche de jambon. Referme ton sandwich et déguste ton œuvre !

6- Dessert santé au yogourt et aux fruits

Portions : 4
Préparation : 10 min
Cuisson : 5 min
Réfrigération : 45 min

Ingrédients :

- 1 paquet de gélatine de type Jell-O® aux framboises
- 1 tasse de yogourt nature
- 1 tasse d'eau chaude
- 1 tasse de petits fruits mélangés (frais ou congelés)

Instructions :

Dans un bol, verse le contenu d'un sachet de gélatine.

Fais diluer la gélatine avec une tasse d'eau très chaude.

Ajoute une tasse de yogourt nature et remue bien le tout pour obtenir une substance homogène sans grumeaux.

Ajoute une tasse de fruits frais ou congelés (fraises, bleuets, framboises, mûres) dans le bol et remue le tout pour les disperser dans le mélange.

Dépose ton dessert dans le réfrigérateur et laisse refroidir pendant au moins 45 minutes. Tu peux le servir seul ou avec des fruits, des céréales ou un muffin.

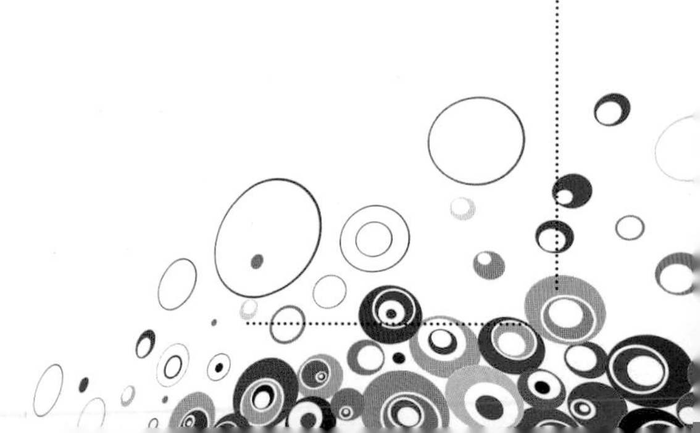

7- Burrito grande

Portions : 4
Préparation : 10 min
Cuisson : 15 min

Ingrédients :

- 1 c. à soupe d'huile d'olive
- 1 oignon vert haché
- 1 gousse d'ail hachée
- 2 courgettes tranchées
- 1/2 c. à thé de poudre de chili
- 1/2 c. à thé de cumin moulu
- 1 conserve de haricots noirs
- 1 conserve de maïs en grains
- 4 grandes tortillas de farine
- 1/2 tasse de fromage cheddar râpé
- 1/2 tasse de yogourt nature ou crème sûre faible en gras
- 1/2 tasse de salsa du marché
- 1 tomate coupée en petits dés
- 1 avocat tranché
- Sauce piquante

Instructions :

Fais chauffer l'huile dans une grande poêle à feu moyen-vif, puis ajoute l'oignon, l'ail, les courgettes, la poudre de chili et le cumin et fais cuire jusqu'à ce que les courgettes soient dorées et que l'oignon soit tendre.

Rince et égoutte les haricots noirs, puis incorpore-les dans la poêle avec le mais en grains et fais cuire le tout à feu moyen-doux pendant encore quelques minutes.

Fais chauffer légèrement les tortillas au micro-onde ou dans le four jusqu'à ce qu'ils soient chauds et tendres, puis étends 2 cuillères à soupe du mélange de haricots au centre de chaque tortilla. Couvre le mélange d'environ 1 c. à soupe de fromage, de yogourt et de salsa et garnis le tout de tomates et d'avocat. Assaisonne de sauce piquante, si désiré, et enroule chaque tortilla sur elle-même avant de servir.

8– Croque asperges

Portions : 1
Préparation : 10 min
Cuisson : 15 minutes

Ingrédients :

- 1/2 baguette
- 3 c. à soupe de mayonnaise
- 4 asperges
- 1/2 tasse de fromage mozzarella
- Poivre

Instructions :

Fais préchauffer le four à 350 °F/175 °C.

Coupe la baguette en deux dans le sens de la longueur. Étale de la mayonnaise sur les deux surfaces tranchées.

Fais bouillir les asperges dans l'eau bouillante pendant 10 minutes jusqu'à ce qu'elles soient tendres.

Dépose deux asperges sur chaque tranche de pain et saupoudre-les de fromage.

Mets les deux moitiés de baguette garnies dans le four et fais chauffer jusqu'à ce que le fromage soit fondu. Assaisonne de poivre et dévore le tout !

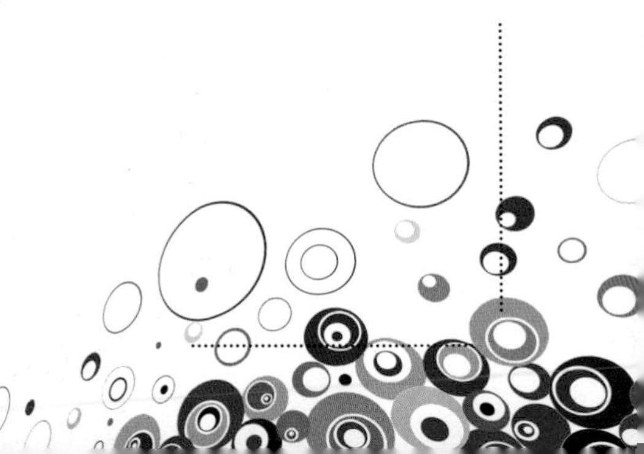

Vrai ou faux

Réponds à ces vrais ou faux pour tester tes connaissances alimentaires !

1. Tu dois consommer environ 6 portions de viandes et substituts par jour.

....

2. Une jeune adolescente doit consommer 1 200 calories par jour.

....

3. Il est conseillé de manger beaucoup de légumes verts tous les jours.

....

4. Les noix font partie du groupe alimentaire viandes et substituts.

....

5. Si tu manges bien un jour, tu peux manger que des frites le lendemain sans que ton corps n'en souffre.

....

6. Le jeûne ralentit le métabolisme.

....

7. Il est recommandé de faire peu de sport.

....

8. Un journal de ton alimentation t'aide à mieux comprendre tes habitudes alimentaires.

....

9. Le calcium favorise la croissance et le développement de tes muscles.

....

10. Les aliments riches en oméga-3 contribuent entre autres au bon fonctionnement de ton cerveau, de ton cœur et dans la prévention des maladies.

....

11. Les glucides sont une excellente source d'énergie.

....

12. Il ne faut jamais manger de frites.

....

13. Tout est une question d'équilibre et de modération.

....

14. Le tiers de ton corps est constitué d'eau.

....

15. Tu dois consommer environ 8 verres d'eau par jour.

....

16. Il ne faut pas limiter sa consommation de boissons gazeuses.

....

17. Il faut privilégier les pains de blé entier plutôt que les pains blancs.

....

18. Manger avant de se mettre au lit fait automatiquement engraisser.

....

19. Il est conseillé de déjeuner en roi, dîner en prince et souper en moine.

....

20. Toutes les huiles sont mauvaises pour la santé.

....

21. Les pâtes et le riz font automatiquement engraisser.

....

22. Le sport permet aussi de relaxer.

....

23. Le sodium est un sel minéral. **V**

....

24. Il existe 3 types de vitamine B.

....

25. Le soleil est une bonne source de vitamine D.

....

Réponse
1F - 2F - 3V - 4V - 5F - 6V - 7F - 8V - 9V - 10V - 11V - 12F - 13V - 14F - 15V - 16F - 17V - 18F - 19V - 20F - 21F - 22V - 23V - 24F - 25V

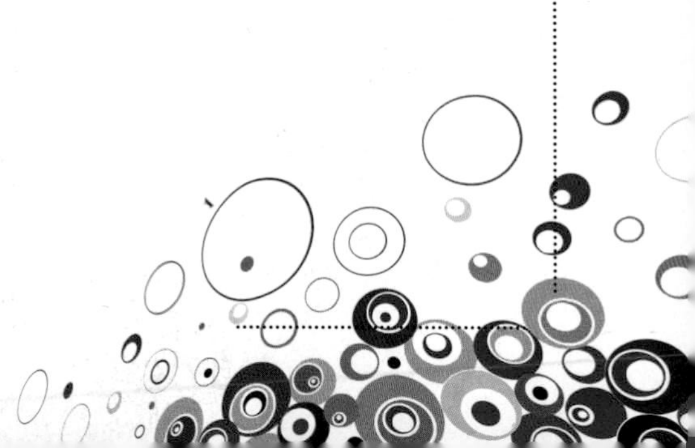

Le quiz de l'assiette

Range ces aliments dans la portion de l'assiette correspondant à leur groupe alimentaire.

Poulet	Couscous
Épinard	Spaghetti
Cheddar fort	Yogourt grec
Pain pita	Mozzarella
Petite tomate	Pamplemousse
Melon d'eau	Crevette
Porc haché	Aubergine
Avocat	Noix de cajou
Tofu	Pois chiche
Œuf	Quinoa
Morue	Orge
Lait de soja	Céleri
Carotte	Fromage cottage

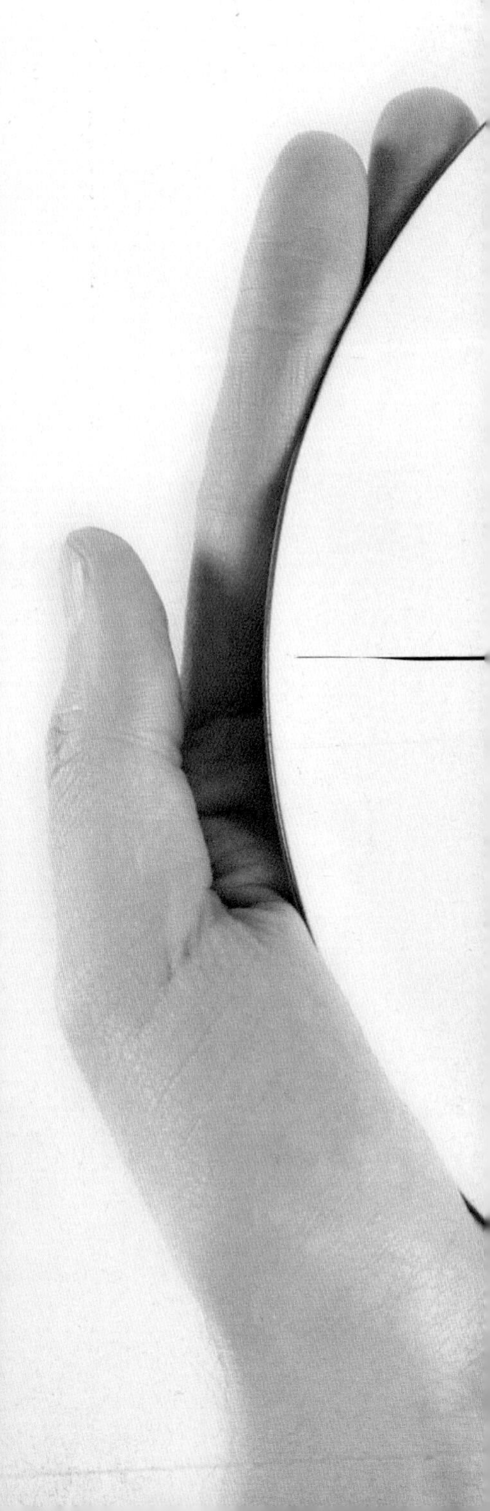

Réponse

Poulet (4) Épinard (1) Cheddar fort (3) Pain pita (2) Petite tomate (1) Melon d'eau (1) Porc haché (4) Avocat (1) Tofu (4) Œuf (4) Morue (4) Lait de soja (3) Carotte (1) Couscous (2) Spaghetti (2 Yogourt grec (3) Mozzarella (3) Pamplemousse (2) Crevette (4) Aubergine (1) Noix de cajou (4) Pois chiche (4) Quinoa (2) Orge (2) Céleri (1) Fromage cottage (3)

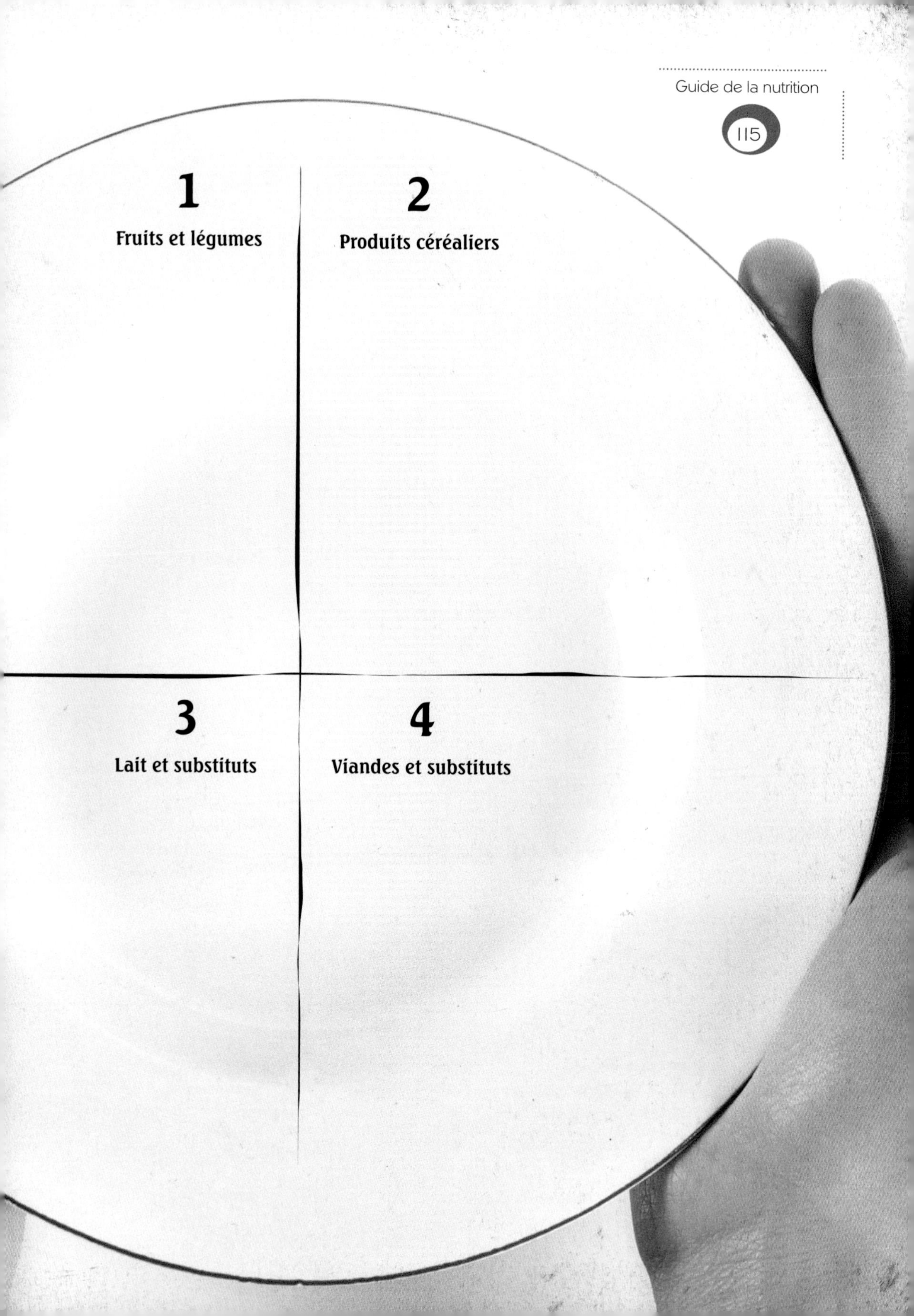
1
Fruits et légumes
2
Produits céréaliers
3
Lait et substituts
4
Viandes et substituts

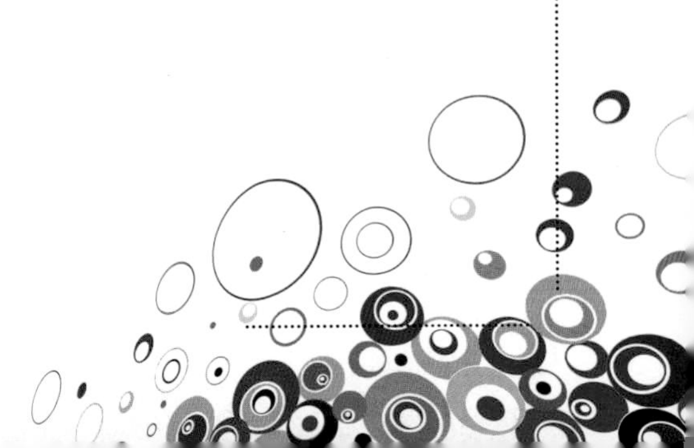

Le journal de mon alimentation

Il est souvent recommandé de noter ce que l'on mange dans une journée pour déterminer nos bonnes et nos mauvaises habitudes et pour se fixer des objectifs réalistes qui nous permettront de développer de saines habitudes alimentaires.

Aujourd'hui, nous sommes le : ______________________

CE QUE J'AI MANGÉ :

Déjeuner : ______________________

Dîner : ______________________

Souper : ______________________

Collation : ______________________

Ai-je consommé des aliments issus des quatre groupes alimentaires tel que recommandé ? : Oui ○ Non ○

Mes bonnes habitudes alimentaires : ______________________

____

____

Petites habitudes à changer : ______________________

____

____

Mes plaisirs coupables aujourd'hui : ______________________

____

____

Aujourd'hui, nous sommes le : ______________________________

CE QUE J'AI MANGÉ :

Déjeuner : ______________________________

Dîner : ______________________________

Souper : ______________________________

Collation : ______________________________

Ai-je consommé des aliments issus des quatre groupes alimentaires tel que recommandé ? : Oui ⬤ Non ⬤

Mes bonnes habitudes alimentaires : ______________________________

____

____

Petites habitudes à changer : ______________________________

____

____

Mes plaisirs coupables aujourd'hui : ______________________________

____

____

Aujourd'hui, nous sommes le : ______________________________

CE QUE J'AI MANGÉ :

Déjeuner : ______________________________

Dîner : ______________________________

Souper : ______________________________

Collation : ______________________________

Ai-je consommé des aliments issus des quatre groupes alimentaires tel que recommandé ? : Oui ○ Non ○

Mes bonnes habitudes alimentaires : ______________________________

____

____

Petites habitudes à changer : ______________________________

____

____

Mes plaisirs coupables aujourd'hui : ______________________________

____

____

Aujourd'hui, nous sommes le : ______________________

CE QUE J'AI MANGÉ :

Déjeuner : ______________________

Dîner : ______________________

Souper : ______________________

Collation : ______________________

Ai-je consommé des aliments issus des quatre groupes alimentaires tel que recommandé ? : Oui ◯ Non ◯

Mes bonnes habitudes alimentaires : ______________________

____

____

Petites habitudes à changer : ______________________

____

____

Mes plaisirs coupables aujourd'hui : ______________________

____

____

Aujourd'hui, nous sommes le : ______________________

CE QUE J'AI MANGÉ :

Déjeuner : ______________________

Dîner : ______________________

Souper : ______________________

Collation : ______________________

Ai-je consommé des aliments issus des quatre groupes alimentaires tel que recommandé ? : Oui ○ Non ○

Mes bonnes habitudes alimentaires : ______________________

____

____

Petites habitudes à changer : ______________________

____

____

Mes plaisirs coupables aujourd'hui : ______________________

____

____

Aujourd'hui, nous sommes le : ______________________________

CE QUE J'AI MANGÉ :

Déjeuner : ______________________________

Dîner : ______________________________

Souper : ______________________________

Collation : ______________________________

Ai-je consommé des aliments issus des quatre groupes alimentaires tel que recommandé ? : Oui ○ Non ○

Mes bonnes habitudes alimentaires : ______________________________

____

____

Petites habitudes à changer : ______________________________

____

____

Mes plaisirs coupables aujourd'hui : ______________________________

____

____

Notes personnelles

Notes personnelles

Notes personnelles

Notes personnelles

Notes personnelles